相信閱讀

Believing in Reading

《全球品牌大戰略》修訂版

六面向論輸贏

定位正確，品牌才有價值

The Power of
Invisible Value

施振榮——著　蕭富元——採訪整理

C⬤NTENTS
目錄
六面向論輸贏

THE POWER OF
INVISIBLE VALUE

序
品牌戰略智慧結晶

王振堂

　　品牌行銷跟研展製造運籌的代工是不同種類的事業，兩種事業的核心能力、成功關鍵及管理重點截然不同。我不認為兩者之間有所謂孰貴孰賤，更不必然孰先孰後，很多相關且流行的說法，不易驗證為正確的論述，例如「代工毛利低，出路是做自有品牌」等。

▓ 釐清品牌的特性

　　品牌行銷是一種知識經濟活動，奠基於品牌行銷的正確知識。知識是無形的，不易準確完整傳授，很容易誤解。品牌行銷的第一步是搞情報，研究市場狀況。面對一堆動態變化的市調數據，如何解讀、分析歸納出市場機會，這是有專業的。

　　所謂「一步錯，步步錯，再回頭已百年身」，正確的專業研判可以驗證、實現，偏差的知識與錯誤的研判，則必然

導致無效的決策及投入。同時，這種偏差與錯誤也不易被主事者清楚察覺而很快修正。一般犯錯的決策者，都驕傲的認為自己最懂品牌行銷，失敗是因為運氣不好或底下的人執行不力所致。

這種事業的挑戰及困難，有別於有形產品的研製量測，任何有意投入品牌事業的決策者，應被提醒品牌事業有此特性及陷阱。

▍三十年品牌經營的總結

企業領導者以品牌知名度及業績為最終追求目標，很容易使企業在策略選擇及調整上產生僵化偏廢，管理上出現重大盲點。在上位的最高主管若有明顯的意識型態好惡，底下的團隊很自然會偏向投其所好或善加利用其弱點。

常常聽到的說法像是：「品牌事業要先虧大錢投資很多年，才會開始賺錢。」殊不知，錯誤的方向跟做法，永遠都不會讓公司賺錢。對的方法一定是可以計劃的，並且按計劃展現持續進步的發展軌跡，而不是一再虛幻飄緲的畫牆上的大餅。

《六面向論輸贏》一書，是施振榮先生三十年從事品牌經營的總結。他歷經過企業的飛速成長與獲利豐厚，也承受

過企業生死存亡挑戰的波折。施先生樹立了於六十歲傳賢不傳子的典範，自宏碁董事長的位子退下來後，一直努力做薪傳嘉惠後進的工作。此書乃是經沉澱、回顧、歸納出來的品牌戰略智慧結晶。

　　只要關心「品牌」這東西，你一定要買這本書來讀。不管讀了以後是否準備信服其說法、採行其建議，我深信此書一定會帶給你很有價值的啟發。

（本文作者為前宏碁公司董事長）

序
品牌管理決勝負

王文璨

自行銷學演進的歷史觀之，從早期的推銷（selling），轉變到行銷（marketing），最終已然來到目前的顯學 —— 品牌行銷（branding）。

在1998年以前，品牌行銷管理的觀念還很模糊，尤其是高科技產業。當時高科技產業追求速度，行銷重心側重產品技術，訴諸的是產品價值而非品牌價值；相較之下，反而是消費性產品較早導入品牌經營的觀念。

在本書中，施振榮先生根據過去的經驗體悟，企業最後決勝負的關鍵就在於品牌管理。不論是哪一種產業，都發生了產品逐漸趨同的現象，品牌是唯一能夠產生差異化的最佳因素。

我從歐洲奉調回台負責宏碁集團的品牌管理後，發覺一個問題：集團內各公司的各類產品都使用同一品牌，毫無管理，導致品牌價值遭到嚴重稀釋。為此，集團決定引入品牌管理，逐步發展到目前的品牌行銷。

正因有這段經歷，當明基進入品牌領域後駕輕就熟，一開始對於這個品牌就有明確的定位，賦予鮮明的特質與風格，並深度整合產品與品牌的策略。短短兩年內，很快在各地都可以看到旗幟鮮明的 BenQ 品牌。

▓ 打品牌的兩難

對於有志於從事品牌的讀者，不論是否有經驗，本書都提供了很好的思考邏輯，從命名、定位到執行等各層面品牌管理與行銷的理論及實務，均有詳細的分析與討論。

本書涵蓋的內容也不局限於品牌與管理，它同時指出一些可能方向，供台灣產業檢視目前的處境。

台灣的代工廠商對於是否要做品牌，現正面臨「To B（brand）or not to B（brand），that's the question.」的兩難，讀完本書，「To B or not to B, that would not be a question.」，你會很清楚打品牌需要哪些條件、產生的衝突是外部的還是內部的、這些衝突能否管理，這些事情在書中都有詳盡交代。

一般談品牌管理的書籍，無法涵蓋這些議題，畢竟台灣這種以代工為主的產業生態，要面臨的抉擇跟歐美企業或大陸企業大不相同。

台灣現在面臨的處境，是一個挑戰，也是一個機會。最

近我曾提出「和風式微、韓流暫居、漢潮將起」的概念，就時間性與市場性而言，漢潮儼然形成。

在70年代以前，日本企業靠代工與模仿西方企業產品，並做得更好，從代工發展為自有品牌，在80年代變得非常強盛，吹起了和風。到了80年代，韓國也是從代工、仿效，慢慢變成自有品牌，90年代於是刮起了韓流。

目前，和風式微、韓流暫居，我認為在2000年以後的下一波漢潮是無可抵擋的，大中華區的經濟體將引領市場潮流。台灣在80年代後由勞力轉為知識代工，已經養成厚實的能力，漢潮的形成，對台灣產業創造品牌是一個絕佳機會。

從本土小市場出發

在這個節骨眼上，本書的出現有其時代意義。從和風、韓流到漢潮，都是從代工轉換到品牌的模式。這樣的轉換，需要廣大的市場來支撐，比起日本、韓國，台灣本土市場小、又缺乏政府支持的大財團，要創造大品牌的難度相對提高。本書就是從本土小市場出發的品牌角度來思考，不只是台灣，對其他有心自創品牌的新興國家，也有很大助益。

面對漢潮的興起，本書告訴我們，該如何掌握這個機會？勢可不可為？它不只告訴我們要怎麼做一個品牌，還告

訴我們該不該做，這是其他品牌書所缺乏的智慧。

▌宏碁集團內部經驗與知識智慧的累積

觀諸各種品牌行銷的書籍，所提的理論大同小異，不是博大精深看完後不知如何下手，就是表層式的點子或技巧，策略無法貫穿。

施先生這本書從他本身實務經驗出發，以這些共通學理為骨架，並補上許多實務操作的肌肉，點出台灣企業在所處的獨特大環境與小環境中，到底會遇到哪些問題、挑戰，並提出幾種可能的回應模式。內容鉅細靡遺、架構完整，讀起來簡單明瞭、易懂、又切身；更特別的是，施先生還在書中提供很多打品牌的獨家撇步（secret code）。

本書的內容其實是宏碁集團內部經驗與知識智慧的累積，似乎不應該公開，但是施先生始終秉持不留一手的價值觀，不但將之公諸於世，還大方與大眾一起分享他的成功與失敗經驗。不管是哪一種產業，凡有志於從事品牌工作的人，都值得花時間仔細研讀這本書。

（本文作者為前明基副董事長、Acer 品牌推廣最高主管，
2012 年因單車意外過世，被施振榮譽為「品牌傳教士」）

序
品牌之路

朱博湧

在全球化的趨勢下，品牌是價值鏈最有價值的環節，但很少亞洲公司知道怎麼做。

建立一個品牌需要時間，比方說台灣的宏碁耗時二十年，韓國資源最雄厚的三星也需耗時三十年，才建立目前的地位。建立品牌需要長時間的資源投入。

假設施振榮先生十幾年前所提的微笑曲線仍然適用正確的話，在輕資產、精實資產的思考模式下，價值創造朝價值鏈左右兩邊研發與品牌整合發展。台灣的企業家要跨入品牌該怎麼做？應該要注意哪些事？哪些則是要避免犯的錯？

▍品牌 vs. 代工

為什麼品牌最近這麼熱門？有幾個現象可以說明，台灣企業家與高階主管正遭遇前所未有的挑戰與策略的迷思。台灣過去二十餘年靠著茁壯的製造活動，造就許多世界級的代

工公司，其規模仍在擴大中，利潤卻已從微利到奈利，風險也大幅增加。

在大陸成為世界工廠與市場的潮流之下，台灣的企業家何去何從？是要將資源投入營運風險愈來愈高的製造產能？還是有其他選擇？

因為進入知識經濟時代，生產設備不再是企業獲利的保障，反而可能成為負擔。套一句施振榮先生的話「認輸才會贏」，宏碁放棄製造，除了仍可借重原來宏碁集團的資源外，台灣整個IT產業反而成為宏碁的後盾，不再是依賴單一公司的資源而已。

宏碁的模式從製造導向轉為市場導向，國外早已行之多年，例如：個人電腦戴爾、惠普，半導體產業的英飛凌，通訊產業的思科，消費性電子的蘋果電腦，甚至微軟的Xbox。

傳統產業的例子更是不勝枚舉，例如球鞋中的Nike，以及早期倚賴台灣製造網球拍、腳踏車的所有世界品牌業者，這些都證明當製造利潤漸趨微薄時，以代工為主的企業家面對的是危機，但也可能是轉機。

■ 宏碁的品牌之旅

不過，從製造轉為以行銷為導向的品牌商業模式，牽涉

的市場知識與管理複雜度，遠高於台灣廠商一向熟悉的代工商業模式。台灣的企業家應該如何做，才可能完成他的品牌之旅？

　　本書最大的貢獻，是施振榮先生現身說法，闡述其創造宏碁的品牌經驗，尤其是對資源較少、本國市場較小的企業家提供非常重要的參考。

　　經營品牌時，有些是全球性的思考，有些是比較本土文化層面。這些全球性的思考和廠商個別屬性比較無關，因為要處理的挑戰是全球性市場的競爭，大致的思考是一樣的；但是由於個別廠商的體質和能力不同，所處的市場環境限制也彼此不同，西方與日本建立品牌成功的方式，可能並不適用於台灣企業。

　　宏碁從白手起家建立品牌，然後進入代工與品牌並行的高成長模式，到最後品牌與代工的切割，可說是台灣IT產業中最完整的個案發展史。這樣的經驗其實非常寶貴，背後的策略意涵亦值得探究。

▋ 品牌管理

　　對於正處在決策十字路口的台灣企業家或一般讀者，從這本書可以學到什麼？

　　方案一是繼續投入資源在生產設備。由於大陸的生產要素比較便宜，所以不得不到大陸設廠，但是資源投入愈多，報酬反而遞減；而營運的風險則因客戶的選擇增加，常因被抽單而加大。看到宏碁、明基、巨大、華碩與正新這些自創品牌的公司，獲利報酬不比代工公司差，加上有比較大的主控權，品牌這條路是不是另一個選擇？

　　本書就是告訴你台灣建立品牌的獨特經驗，尤其適用於小國家或小公司，如何創造品牌、處理複雜的通路管理問題，如何在國際化裡慢慢茁壯長大。其中包括宏碁做品牌和代工內外的衝突過程。內部衝突包括兩者管理文化的差異，外部衝突則是自我品牌與委託廠商的利益矛盾。

　　另外，施先生也提到建立品牌的一般性原則，包括主要品牌、次品牌及消費性產品常用的多品牌策略，還有品牌延伸的方法。要建立有效品牌的基本條件，台灣的小公司必須在所在市場（例如利基市場或初生期市場），取得相對大的位置。這些觀點都有很深的策略意涵。

▌品牌與價值創造

　　施先生在本書提出獨到見解的品牌價值公式。對於很多人以為，建立品牌只是多做廣告以增加知名度的錯誤認知，

是一個非常大的警醒。無價值的差異化對企業是一種負擔。同理，品牌若不能鎖住客戶，產生產品溢價，即使有高知名度，也無法替股東創造價值。因此，「品牌」如同「代工」，也有做虛功的可能。

台積電是台灣二十年來最賺錢的公司，鴻海則是台灣二十年來成長最快的公司，兩者均從事代工，也都是B to B的品牌公司，卻非B to C品牌。然而，亞洲市場興起，未來二十年，B to B與B to C品牌，誰能創造比較高的價值？

施振榮先生本身就是一個品牌，稱他為「品牌先生」是實至名歸。在台灣品牌價值最大的十個品牌中，就有三個與施先生有關。

此外，施先生退休以後創立了「智融集團」，用知識建立專業品牌的新模式，強調「借重」與「整合」多元的知識與智慧，所謂「智」慧「融」通創造價值。若華人企業家能善用施先生在品牌經營的經驗與智慧，未來所能創造的，可能不僅是今日的Acer、BenQ等品牌而已。

（本文作者為交通大學管理科學系教授）

自序
品牌是大家的事（2015 年）

我這輩子，都在談品牌與價值，也就是如何透過間接、未來、無形的思維，掌握創造輸贏的關鍵。

品牌不是無的放矢，針對不同目的、不同消費族群，要有不同的方法；尤其，企業打品牌的目標，是要創造價值，但這個價值不是只看企業有沒有賺錢，還要對消費者等其他利益相關者都有好處。從王道創值兵法的角度看，就是以終為始、價暢其流。

▓ 重視隱性價值

其實，要理解如何經營品牌，六面向價值總帳論是最好的工具，因為品牌本身就是隱性價值，支撐品牌的東西，像是智慧財產、創新，都是無形的；而影響品牌的，例如：市場口碑、媒體報導，則是來自間接。

所以，如果你不重視隱性價值，就不必談品牌了，因為

你從一開始就輸了。

只是，對於品牌，很多人都有迷思，例如：小公司不能做品牌。然而，放眼當前的世界級品牌，哪個不是從零開始，所以這個觀念一定要打破。

不過，我的意思並不是說所有企業都要打品牌，反倒是大家應該要先了解，在打品牌之前，有許多先決條件，例如：創新能力、產品競爭力、組織管理能力、國際化能力等等。當你把這些組織建構起來之後，才值得花錢打品牌；否則，若是只想砸錢打品牌，也是錯誤的觀念。

不管是國家或企業，無論規模大小，都應該想清楚自己的品牌策略，尤其是要先選擇能夠獲利的市場區隔。

▌產品與品牌相互影響

品牌是所有知識的總和，背後是整個經營端到端的知識，任何一環出問題，品牌都會受到影響。

產品與品牌也是相互影響的，創造品牌價值，同時也在提升產品的附加價值，所以設計製造代工廠也要打 B to B 的品牌。

不過，台灣做設計加工，成長快、獲利快，但隨著時間演變，毛利受到擠壓，生產規模反倒可能變成營運包袱，這

時，很多領導人就會思考要不要直接面對消費者，自創 B to C 品牌？

　　這個問題，我被問過無數次。我認為，設計製造代工廠商應該還是優先選擇在 B to B 領域為社會創造新的價值，理由有二：

　　一是，B to B 與 B to C 需要的企業文化不一樣，市場思維也截然不同，而且要打 B to C 品牌牽涉到太多價值鏈的環節，不是只有品牌形象塑造那麼簡單的事，比如做 B to B 不一定要當地化，但是做 B to C 就必須當地化。

　　二是，設計製造代工廠若要跨入 B to C 市場，勢必會對原來的 B to B 客戶產生衝擊，很容易賠了夫人（B to B 客戶），又因為對 B to C 領域不熟悉而折了兵。

找到定位

　　近五年來，台灣對於產業升級轉型的需求愈來愈急迫，也開始關注競爭力、永續發展生生不息等等議題。因此，我把 2015 年定為「王道插秧計畫」元年，除了推出王道經營會計學，還與天下文化合作，推出「王道創值兵法」系列套書。

　　王道是組織的領導之道，它的核心理念是創造價值、利益平衡、永續經營，並透過六面向價值總帳論評估事物的總

價值，才能長期平衡發展，達到最大價值。

　　至於王道創值兵法的內涵，則包括：一以貫之、以終為始、吐故納新、價暢其流，這些觀念在套書裡都可以看見，只是有些書會又特別側重其中幾項。

朝王道而努力

　　這本書的副標，是「定位正確，品牌才有價值」，談的是附加價值的定位，而王道就是談附加價值，只要能夠創造隱性價值，它的相對優勢會比創造顯性價值更高、更持久，還可以幫助你避免直接的價格競爭。否則，如果只看顯性價值，很容易在市場上變成「論斤計價」。

　　透過這本書，我希望可以幫大家經由思考的過程，檢視自己的目標、方法、行為是否符合王道。如果沒有的話，真的不值得繼續在那裡浪費青春和精力。

自序

為品牌台灣貢獻一己心力（2005 年）

過去數十年，台灣整體產業如何才能不斷升級的議題，始終是各界關注焦點。為了找出解決之道，不但學者、企業搔首苦思，政府單位也持續推出新措施或新獎勵投資條例，企圖促使產業逐步升級。

綜觀而論，產業升級的具體表現，其實就是競爭力。不只是企業，國家也要有競爭力，所有產業、社會活動、生活水準、教育、基礎建設、施政服務等的總和，就是國家的競爭力。洛桑管理學院（IMD）列舉的國家競爭力指標，如政府施政、發明專利、生產力、現代設備普及率等等，都是評估國家競爭力的重要項目。

▌共通且無法迴避的挑戰

從國家競爭的層次來看，世界各國的確都在進步，在這場激烈的競賽中，台灣過去做得不錯，也一直都有成長；但

是如果我們往後看，大家對於未來能否有持續成長的空間，似乎都憂心忡忡。

　　一方面，我們過去十年賴以高度成長的高科技產業，已慢慢步入成熟的高原期，利潤持續縮水；另一方面，台灣的服務業如金融、流通等，日益走向大型化，整體成長雖不斷上攀，只是受限於本地市場過小，發展自有其局限。

　　在這樣的客觀環境之下，我們若要突圍而出，除了在技術提升、人才培育、管理效率等方面持續進步之外，能夠全面影響台灣國家競爭力的，就要靠品牌形象。容我大膽歸納，將來全面影響台灣未來產業升級、企業與國家競爭力的重要關鍵，正是台灣企業的品牌形象。

　　我必須強調，每個產業未來要面對的課題各有不同，汽車業、服務業、醫療業等，要解決的專業問題也南轅北轍，但是各產業只有一個共通且無法迴避的挑戰，那就是品牌。

　　其他的專業問題大抵隔行如隔山，只有品牌問題具有普遍的共通性。因此相對而言，經營品牌的能力是解決產業升級最重要的核心，這種能力在未來一、二十年還有不斷成長的空間，不會飽和。

　　品牌固然重要，更需要有整體的戰略思維。戰略的有效性，短期目標是讓企業生存制勝，長期目標則是累積實力，打一場更大的戰爭。如果站在經營者的立場思考，就必須知

己知彼，了解自己的核心競爭力，洞悉競爭者的情況與未來市場的趨勢，並掌握各地市場的習性。

光靠台灣產業過去的經驗，並不足以對這些事務有通盤了解。此外，經營者要在有限的資源下，訂定品牌戰略，藉此一步步達成長期目標，這樣的戰略思考也是我們過去經驗中欠缺的關鍵能力。這也是我為什麼要寫這本書的目的。

■ 從華人國際化的觀點出發

市面上已有不少專書談論品牌操作，有的完全是實務探討，有的則非常理論。本書不然，書中所談的都是戰略性議題，有全球品牌競爭態勢的大架構論述，也有小至品牌擴張時的應用準則等實際問題的看法。

本書根據我三十年以上親身實務經驗所寫成，用經營者的語言與心情，將塑造品牌時會遭遇到的所有問題、各階段的不同思維、各種議題不同角度的思考，簡單明瞭的納入我的品牌論述中。

其他的品牌相關書籍，大多不是從華人國際化的觀點出發，即使是華人所寫，大體也都局限在某個市場而非著眼全球。本書可說是第一本由華人觀點所寫成的品牌行銷國際的專書，是為有興趣從事品牌工作及戰略思考的經營者與經理

人所寫，因此在著書過程中，我隨時都會從他們的立場來思考各種問題。

在品牌的論述裡，我希望能盡量讓讀者知其所以然，反覆解釋所提各種理論的前因後果、為什麼會有這樣的講法與考量。我的用意並非指導經營者應該怎麼做，而是點出為什麼要這樣做。

本書涵蓋層面極廣，並不限於我最熟稔的資訊業，舉凡感性或理性產品、B to B 或 B to C 品牌經營等等，都有鉅細靡遺的分析。

我自信，目前市面上品牌相關書籍無法討論得如我這般細膩。我心中所想的讀者，也絕對不限高科技從業人員，放諸其他有志於自創品牌的各行各業，我提出的這些原則皆能有所助益。

本書共有八章，每個章節討論華人品牌在行銷全球時必須面對的各種問題、挑戰與回應方法。

第一章談經營品牌的總體戰略思維。第二章則詳細解釋我自創的品牌價值公式及其應用，以及我提出的微笑曲線、競爭力公式等不同理論的最新應用。

第三、四、五章剖析品牌如何創新、擴張與行銷到不同市場，還佐以不同品牌案例說明我的主張。在華人品牌進行全球化的過程中，如何有效行銷通常都是最弱勢的環節。

　　第六章專門探討這個華人品牌之痛，從廣告、預算、選擇媒體、通路等細節，縱筆深入行銷品牌的制勝之道與可能陷阱。

　　第七、八章則以我過去數十年深耕其中的高科技產業為例，說明宏碁、明基分家的策略選擇，並分享兩家公司如何成功塑造國際品牌的經驗與實務。更重要的是，我試圖在書中提出幾種台灣未來產業升級的可能模式，冀望能釐清各種發展模式的迷思，為產業困頓出路解套。

　　為佐證我的說法，我在每個章節中都會分析全球知名品牌的成功原因與未來面臨的挑戰，例如台灣的宏碁、明基、巨大、康師傅、趨勢科技，韓國三星，日本索尼，美國Google、蘋果電腦，以及中國大陸的聯想集團等等。我列舉出的案例也涵蓋不同性質的產業，如保險業、汽車業、食品業、流行服飾業等等。

▓ 品牌是產業突破的關鍵

　　2004年底自宏碁集團退休、及2005年初創辦智融集團之後，我就注意到，企業來智融尋求諮詢的項目中，最多的就是有關品牌戰略布局的問題，這意謂產業發展到現今階段，大家不約而同的體認到，品牌才是突破的關鍵。

　　對於打品牌這件事，過去大家是敢想不敢做，甚至是連想也不敢想，況且賴以為生的代工生意仍然有新機會發展，於是發展品牌的腳步一拖再拖。我深刻覺察，周遭的企業界朋友現在都感受到一種迫切感，再不突破就不知道下一步要怎麼走。

　　台灣過去極度欠缺自創品牌的條件，經過這一、二十年累積的基礎，也到了該做品牌的時候。在產業重心逐漸轉移的過程中，必須要有戰略。

　　我有個比喻，這就好像扁擔與彩券，品牌是彩券，賴以維生的扁擔是代工，買了彩券不一定會中獎，中了彩券也不能丟掉扁擔；沒有了扁擔，未來買彩券會出問題，因為品牌是靠過去製造代工累積下來的基礎。我主張，所有有志於打造品牌的企業與個人，應以「Taiwan Inside」的概念，共同為台灣創造利益共享的品牌形象。

　　長於戰略思考的日本知名管理學者大前研一，在日本素有戰略先生的封號；由於過去三十年在高科技業累積的跨界經驗，大陸媒體稱我是 IT 教父。在台灣邁向品牌大路的這個關鍵時刻，我自許未來能夠被定位為品牌先生，以自己過去打品牌的經驗與知識，為品牌台灣貢獻一己心力。

CHAPTER 1

為品牌創造價值

品牌是企業價值很重要的一環，
但在資源有限的情況下，
打造品牌的過程不妨有所取捨。
唯有專注，
才能建立有效的品牌價值，
而創造品牌價值的經驗可以複製，
不一定要用相同的品牌。

第一章

品牌這條路

許多人對於宏碁的刻板印象，
是先做代工，再做自有品牌。
但事實上，卻正好相反。

走上自創品牌這條路，對我來說，是再自然不過的事情。

1971年我開發出台灣第一台計算機，便開始用自有品牌販售。

當時台灣既沒有類似產品，也沒有原廠委託製造（OEM）、原廠委託設計製造（ODM）的概念，我們的新產品跟國際廠商同步推出，對方當然也不會找我們代工、生產。可以說，我過去做的都是「無中生有」的新產品，甚至在國際市場上也是第一波，順理成章走上品牌這條路。

■ 宏碁自創品牌的歷程

再拉高層次，從我1976年開始創業的大環境來看，當時產業以加工出口為主，但媒體、企業及管理學界已開始出現自創品牌的聲音，認為企業未來必須走向研究發展與自創品牌的方向，這種主張蔚為風潮。

我本來就不做加工，雖然1971年所任職的環宇公司是做半導體裝配加工，但那個部門是做自己的產品開發，當然會有發展自有品牌的念頭。

話雖如此，一般人總有刻板印象，以為宏碁是先做代工，之後才轉做自有品牌。也許99％台灣企業是走這樣的發展路程，但是我從環宇、榮泰一路到宏碁，都是先做自有品

圖1-1　施振榮的微笑曲線

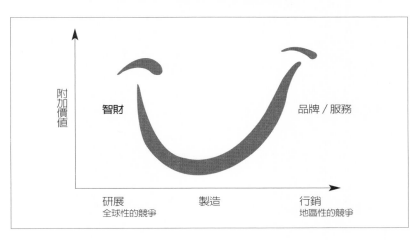

牌，之後才開始接代工生意。

　　只能說當時並非有意識在打品牌，我們的新產品一推出便賣給最終消費者（C），而不是國外品牌商（B），自然而然進入Ｂ to Ｃ（企業對消費者）模式，開始做起品牌。只是當時公司規模小，缺乏資源，經驗不足，我雖有心於自創品牌，卻無法順利打出一條路。

　　打品牌需要很多資源，宏碁初創，人才、資金等資源明顯不夠，優先要務首重研究發展，而非打品牌。

　　品牌與研究發展是在微笑曲線的左右兩側，理論上來

說，這兩條路必須齊頭並進；但是公司資源有限，雖具有領先的研發能力，也只能代客設計，我稱之為ODD（original design designer），也就是將我們的設計賣給製造商，再由他們承擔風險量產外銷。

▌ 代客設計

一般企業都是從製造轉做設計加工，宏碁則是在科學園區設廠後，由代客設計轉成代客設計製造，設廠之前五年，共設計四十件微處理機應用產品，其中還包括替現任廣達電腦董事長林百里設計的一款家用電腦。當時林百里剛離開金寶出來創業，他懂技術，但是缺乏人力，因此找我們幫忙。

在資訊業，這類事情司空見慣，宏碁當初要進入個人電腦領域，也是在缺乏人力的情況下，委請工研院代為設計。我認為，產品整合要自己來，技術外包則無妨。

宏碁初期做代客設計，是以成本加一點利潤的方式做生意，回收非常有限，跟代工相差不遠，只是賺工錢。之後替誠洲電子設計終端機，那是台灣第一次外銷終端機，數量非常大。我們改變生意模式，以成本加權利金的方式計價，為宏碁創造一筆龐大的利潤。

有這麼好的成績，要歸功於台灣過去製造電視機的基

礎，累積了製造終端機、監視器的優勢競爭實力。也因為誠
洲和宏碁簽約時，規定我們兩年內不能做競爭產品，宏碁因
而轉去開發電腦學習機，一直發展到個人電腦。

■ 情勢逆轉

由此可見，宏碁自創品牌的歷程，從1981到1984年，
一路都是自創新產品，再推到國際打品牌。

直到1984年，情勢出現逆轉。受先進產品委外代工大勢
所趨，宏碁開始接代工生意，因為代工的規模比自有品牌大
太多了。

我們先替ADDS（NCR子公司）以及美國國際電報電話
公司（ITT）做製造代工（明基因專責製造ITT的訂單而創
立），逐漸擴展到其他國際大廠。自此，宏碁的業務從百分
之百來自自有品牌，一直下降到2000年，自有品牌與代工各

品牌新思維

品牌與研究發展是在微笑曲線的左右兩側，理論上
來說，這兩條路必須齊頭並進；但是公司資源有
限，雖具有領先的研發能力，也只能代客設計，我
稱之為ODD（original design designer）。

占50％。

　　自有品牌業務所占比率雖然持續下降，設計製造代工的管理與品牌經營的衝突卻日益深化，最後不得已才有分割的想法。

　　2001年，專門做代工生意的緯創，自宏碁分立而出。宏碁往後專心經營自有品牌業務，緯創專事代工業務，各自專精發展後，彼此的業務都大幅成長。

　　回顧所來徑，宏碁的代工生意也是一波多折。全球代工風潮初興之際，宏碁有強勢品牌，又沒有什麼競爭者，品牌廠商只能找我們代工。

　　但是，在廣達、仁寶、華碩等代工廠商相繼出現後，競爭態勢丕變，品牌廠商出現更多選擇；再加上這些代工廠商不經營品牌，沒有顧忌，反而後來居上，業務蒸蒸日上。

　　宏碁一方面面臨其他代工廠商的競爭，一方面又要兼顧發展品牌，兩邊不討好，經常起爭執。也基於同一個理由，早期因怕Acer與ITT、ITT與ADDS品牌間的衝突，才出現明基，專門負責ITT的代工業務，希冀藉此兼顧品牌與代工。

　　要創辦一家代工廠商，需要很多資金，資訊代工廠商創辦人當時資金有限，需有資金奧援，方能順利發展。以宏碁為例，如果不是靠大陸工程董事長殷之浩投資，成立明基，也吃不下那麼大的代工業務。

▍ B to B品牌 vs. B to C品牌

　　一家公司誕生之際，會取一個名字。名字本來就是一種品牌，公司名是做生意及讓生意夥伴識別的象徵。

　　台灣企業一向以外銷為導向，並透過第三者（B）把產品賣給消費者（C），並不需要做品牌，唯有直接面對最終消費市場時，才需要打品牌。也就是說，台灣產業的本質，都是國內的B賣給國外的B，並沒有B to C的問題，暫時避開經營品牌要面對的挑戰。

　　企業不一定要有大眾耳熟能詳的品牌才能做生意，特別是做B to B（企業對企業）生意的企業，它的品牌只有專業人士才知道。以台塑為例，台塑做的都是工業材料，品牌在生意人之間很響亮，是否人盡皆知，並不影響它的生意。

　　我並不是說經營B to B生意的企業就沒有品牌，而是這種生意並不需要特別塑造品牌形象，也不需要大量廣告，更沒有太多國際化管理課題。

　　以製造為本的企業，必須塑造的形象是產品品質好、交貨準時、價格有競爭力，這種形象本來就是企業之本。B to B企業對應的客戶是以百為單位，不是以百萬為單位，不必花額外功夫與金錢塑造公眾形象。

　　B to B的品牌就算再多，也沒有太大的競爭障礙，因為B

to B企業生產的產品差異不大，買方的B是專家，也看得出來所有產品都差不多，個別廠商無法過度利用品牌建立競爭障礙。

現在當然稍微有些不同，台灣積體電路製造公司、廣達、仁寶等代工廠商，因為產品領先、價格實在、交貨準時，建立極佳口碑，加上規模經濟，慢慢可以靠品牌建立一點競爭障礙。

話雖如此，有些B to B企業仍然需要打品牌，像是英特爾（Intel）、Gortex等知名B to B品牌，還是免不了直接訴求最終消費者。

這些企業的特徵是做B to B to C的生意，尤其是中間的B（也就是替你賣產品給消費者的製造或銷售廠商）數量很大。如果中間的B數量不多，則不需要打品牌。

為什麼中間B數量很大時，第一個B（生產廠商）必須自己打品牌呢？因為大量的B意謂有更廣大的C，生產廠商跳過中間銷售廠商，讓自己在C之間形成強烈印象，會對中間的B產生拉的力量。

■ 成功經營B to B to C的四大條件

此即意謂，要成功經營B to B to C生意，有四個條件：

首先，產品獨特、領先；第二，中間的B要夠多；第三，產品必須透過中間的B銷售；第四，要有制裁中間B的力量。

　　英特爾即深諳此道，過去的電腦巨人IBM曾經因為不喜歡在產品上露出「Intel Inside」而吃虧，被英特爾扶植的康柏（Compaq）電腦追上。康柏電腦躍為龍頭之後，一度想走自己的路，也在英特爾的強勢干預下棄械投降；目前的戴爾（Dell）電腦全部採用英特爾的中央處理器（CPU），而得到對方全力支持。

　　由此觀之，如廣達、仁寶等台灣B to B的代工廠商，之所以規模夠大、資源夠多，卻無法跨入B to B to C生意，除了因為產品還不夠獨特、創新之外，最重要的恐怕還是缺乏制裁中間B的力量。

　　不是所有企業都非打品牌不可，但是，如果你的產品是透過第二個B賣給C，當第二個B有愈來愈多的選擇時，你未來的風險就愈來愈高，利潤、訂單都可能失去保障。長期

品牌新思維

要成功經營B to B to C生意，有四個條件：首先，產品獨特、領先；第二，中間的B要夠多；第三，產品必須透過中間的B銷售；第四，要有制裁中間B的力量。

看來，很多代工廠商都有被「抽單」的威脅，訂單還可能轉到別的國家去。

台灣代工廠商還能夠抓住品牌廠商，關鍵就在於已從單純的代工製造轉型為設計製造，利用設計的優勢及全球運籌的能力，使得自己的產品有了差異化。

當產品有差異化、品質好、技術好、成本有競爭力、交貨準時、服務好，B to B to C的生意就很好做。產品如果沒有差異化，第二個B可以有很多選擇。

因此，就算是做 B to B 生意，品牌也很重要，只是這個品牌是跟企業本質自然結合在一起。當企業本質不佳時，第二個 B 就有很多方法可以牽制你，不是砍價就是轉單。制勝關鍵在於持續進行差異化，台積電正是很好的典範。

從微笑曲線的理論來看，台積電中間有密集的資本，左邊是製程領先，右邊則是絕佳服務，確保每張訂單準時交貨。左中右三項優勢聯合，產生品牌價值，因此台積電在B to B 領域是一個強勢品牌。

▌打自有品牌兩大決定因素

如果做 B to B 的品牌，生產廠商推出新產品時，原本就有其特殊定位，當要透過中間銷售廠商，將這個特殊定位有

效傳達到終端消費者時，因彼此目標、使命、任務都不同，經常會出現雙方配合不上的狀況，此時生產廠商就不得不對客戶的客戶打品牌。

所以，打自有品牌有兩個決定因素：首先在於產業本質，B to B 不一定需要打品牌，B to C 一定要打品牌。其次，生產者如果長期受制於第二個 B，就必須建立 B to B to C 的形象與基本架構。

由此可知，不論做 B to B 或 B to C 的生意，擁有品牌是無可迴避的挑戰，而且這個品牌還要強勢才有用。當然，B to C 的品牌除了鞏固企業本質之外，還有更多要求。例如，如何有效跟消費者溝通，如何透過通路有效把產品送到消費者手上，以及如何透過有效的組織提供客戶售後服務。

這些挑戰所衍生的任務，比工廠生產線更多、更繁雜，工廠產品可以不斷複製，但是經營市場變化很大，每個市場各異其趣，每項產品、實際做法、使用者都不同，由此產生

品牌新思維

打自有品牌有兩個決定因素：首先在於產業本質，B to B 不一定需要打品牌，B to C 一定要打品牌。其次，生產者如果長期受制於第二個 B，就必須建立 B to B to C 的形象與基本架構。

的管理當然複雜。這些問題將會在本書後面一一深入探討。

　　篳路藍縷打品牌真的很艱辛。辛苦打下的品牌，究竟有什麼效用？

　　品牌其實是一個跟競爭者的識別。不論是 B to B 或 B to C，有品牌的公司有一個好處 —— 好做生意。

　　品牌是有效的溝通工具，讓顧客很容易找到你。品牌還可以降低業務費用，在徵才時也較具優勢。此外，因為有品牌，讓消費者對你的產品產生無形的信心，在消費者心中，你的產品定位就和競爭者有了差異，同樣品質的產品，就有機會賣得比較好，這是品牌造成的主觀印象。

■ 產品與品牌形象必須一致

　　企業還可以借重品牌做別的生意。宏碁曾跨足不同產品，准許集團各公司盡量使用品牌，讓它產生價值。但是，不同產品、不同事業借重同一品牌會產生副作用，如果與品牌形象有衝突，結果可能適得其反。

　　例如，二十年前統一企業試圖進入電子業，遲遲不能成功，主因是電子業和食品業的品牌形象不對盤。品牌當然歡迎多多利用，不過，其效益只有在形象一致時才最高。以電腦馳名的宏碁，在賣資訊產品、周邊設備時，無往不利；但

是，賣一般電視機等家電產品不一定有效。

話說回來，如果能有效管理品牌形象，進而轉入其他產品線，那麼，建置這個新產品的時間就會比較短，成本也比較低。

舉個例說，在台灣市場，聲寶做家電會比宏碁快，因為聲寶在電視的品牌與家電較接近；但是，如果另外一個與電視無淵源的新品牌冒出來要做家電，速度絕對比宏碁慢。宏碁有品牌知名度、定位，但與電視不完全吻合，必須克服這方面的問題，不能認為品牌比別人強，理所當然就會贏。

此外，經營品牌必須進入行銷領域，做行銷需要建立許多核心競爭力，這些核心競爭力可以成為所有新產品的共有平台，推出新產品時，有效性會提高很多。

宏碁賣監視器之後，很快就成為西歐第一名廠商，因為行銷通路、知識、基本建置已經靠之前的電腦產品建立，這些基礎足以提供賣相關新產品線成長的空間。

■ 打造一個國際品牌

B to C企業要在市場上打品牌，最根本的挑戰，是建立品牌定位與知名度。品牌知名度要透過公關、媒體曝光、廣告、通路以及銷售數量建立。但是，要有效產生知名度，就

牽涉產品本質是否創新、領先，唯有如此才能增加產品的媒體曝光率，達到降低宣傳成本的效果。

做廣告則必須了解市場需求，我始終認為，廣告要有效果，不一定要砸大錢，最重要的是了解市場和目標客戶。此外，廣告訊息也要很有創意，就好比子彈打對目標，威力自然比較強。

當然，產品要賣得多，就一定要有銷售與服務據點，這是打品牌戰必定要面對的管理課題。我會在第六章談到行銷時更進一步分析。

品牌必先規劃一個定位，之後推出的企業產品及活動都要符合這個定位。要有效建立品牌形象，必須不斷重複，在不同事件中傳遞同樣訊息。

正因如此，塑造 B to C 品牌的挑戰簡直比塑造 B to B 品牌難上百倍。如果 B to C 的品牌要打進一百個國家，難度更達千倍、萬倍。

挑戰是如此艱困，可以想見，到最後如果不是靠左邊的創新產品在競爭（個人電腦就是最好的例子，各品牌都沒有差異化），那麼贏家必定是專心做微笑曲線右邊的企業，因為實在沒有時間管左邊了。

宏碁與戴爾電腦都因為專心「靠右」，所以雙雙在電腦產業獲得成功，只是兩者倚賴的模式不同，戴爾電腦是 B to

C的直銷，宏碁則是B to B to C的新經銷營運模式。

▌ 企業形象有效當地化

　　要專心往右邊發展，也不是一條簡單的坦途。

　　我說過，打品牌國際化戰爭的難度，萬倍於打本地市場。品牌國際化時，企業形象要靠有效當地化來建立，與媒體的關係、廣告有效性都會打折扣，這是國際化最困難的一環。唯一的解決方法，就是當地化，成功的當地化則要靠雙方的互信基礎。

　　品牌國際化面臨最大的問題，通常出在雙方信心不足，因為生產廠商對當地市場不了解，推廣業務時，如果沒有很好的默契，就算合理的要求都會導致衝突，失去管理成效。

　　例如，當地分公司及通路商將消費者意見反映給生產者時，生產者如果懷疑其正確性或忽視，當然會削弱產品改良

> **品牌新思維**
>
> 品牌國際化時，企業形象要靠有效當地化來建立，與媒體的關係、廣告有效性都會打折扣，這是國際化最困難的一環。唯一的解決方法，就是當地化，成功的當地化則要靠雙方的互信基礎。

的效果。

從整體國家形象層次來看，台灣製造（MIT）的形象至關重大，這也是我們目前面對的難題。如果台灣製品的形象出了問題，企業還沒出國打仗，形象不佳的標籤就已經如影隨形了。

可以這麼說，在製造方面的全球化，是同一個產品有限改良的不斷複製；相對而言，品牌層次的國際化（也就是B to C的全球化）則較缺乏複製的效應，也較難複製。再加上情境不同，以及不同市場、不同文化的管理，打品牌國際化的戰爭，先天上就對本地公司有利。

■ 到國際市場行銷台灣品牌

台灣品牌行銷到國際市場，必須考慮兩種情況。一、如果沒有當地競爭者，競爭者都是外來種，可算是較公平的競爭，還有機會一較高下。二、當地市場如果有相同產品時，我們在短期競爭或許猶可一搏，長期競爭就比較辛苦，很難跟本地公司競爭。

此時如果要贏，必須有兩個條件：產品有很大的差異；其次，在當地的運籌、行銷能力不能比本地公司差。行銷能力要領先本地公司，也要有兩個前提：一，全球運作的實

務、觀念要領先；二，在當地建立很好的組織基礎，並且執行能力不能打折。

我就舉台灣市場的兩種產品來說明。

在壽險業，國際品牌南山人壽是箇中翹楚，還贏過很多台灣本地壽險公司。南山會贏，是因為國際運作實務經驗豐富，產品定位也很好；話雖如此，在營業額方面，始終輸給以螞蟻雄兵作戰的本地公司國泰人壽。

至於汽車市場，以有代理國際品牌的和泰汽車與本地的裕隆汽車兩大競爭公司為例。台灣市場目前銷售第一名的家庭房車是豐田汽車，頂級轎車則由Lexus擊敗雙B轎車，代理商和泰汽車很早就建立了不輸裕隆的行銷能力，以及密密麻麻的經銷服務網；再加上豐田汽車的形象、實務運作都比台灣公司好，理所當然勝出。

▊ 國際化能力定高下

品牌競爭得愈激烈，愈是要在國際化能力定出高下，因為大家都已做得出具有國際水準的產品，差異不大，最後勝負就是在國際化的能力見分曉。

在台灣的電腦市場，恩益禧（NEC）、東芝、富士通等日本公司，國際化能力比不上IBM、惠普（HP）這些美國公

司，這幾家美日公司生產的電腦差異不大，輸贏關鍵在於國際化能力。

　　或許有人質疑，日本的愛普生印表機就可以跟惠普抗衡，這是因為印表機的行銷管理比電腦簡單，而且品牌競爭者少，分割下來，大家都有適當的占有率。

　　以上所說的現實挑戰，其困難度、所需時間都比單做製造多上十倍。

　　要累積國際化的競爭力，需要有養成的環境，我不諱言，目前台灣的國際品牌人才庫遠不及歐美各國，除了宏碁之外，台灣企業幾乎都沒有這方面的訓練。放眼望去，目前台灣資訊產業從事全球化品牌工作的人，幾乎都可歸類為「泛宏碁派」。

　　我一再強調，不是把產品拿到國際市場賣就叫作國際化，而是所有的行銷實務、管理、技術、員工等要有國際水準，這才是國際水準的國際化。

　　一般人想像的國際化，是「到國外去」。到國外去有好幾種層面：一種是產品到國外去，一種是製造移到國外，第三種則是行銷到國外。

　　行銷到國外也有好幾個階段，第一個階段是設海外聯絡處，接著是設立海外分公司，執行接單、行銷、管理庫存的工作，最後階段則是自己做廣告與服務。要順利進入最後階

段，除非資源雄厚、產品有潛力，否則不值得投入大筆金錢在海外做這麼深入的工作。況且，要執行到出現成效，也需要時間。

宏碁早期的國際化，是在中東與新馬各授權一個總代理。後來我們自己拿著〇〇七皮箱到處跑，決定自己設據點。

設據點必須考慮地點與規模，這也取決於本身國際化的能力。據點不是規模愈大愈好，據點愈大代表管銷費用愈高。國際化如果什麼都自己做，常會導致效率差、管銷費過高的結果。

以現在分工整合的角度來看，生產廠商要掌握的是貫穿，亦即由研發、製造、通路到客戶，端到端的思維，並且需確認流暢；在貫穿過程中，應該要有虛擬垂直整合的觀念，亦即借重當地資源，不一定完全靠自己。

重要的是，一定要好好管理執行，如果執行不好，就換人（中間的Ｂ）；或者要再教育，讓它做得更好。

■ 國際化是非走不可的路

真正能掌握中間代理商的力量，來自你的產品有獨特性。產品有差異化，不用擔心中間者扭曲，訊息可以正確傳達給消費者。

　　產品缺乏特色，中間者可以遊走於不同品牌之間，你的訊息可能被中間者擋掉，無法傳遞到消費者。我將在第六章詳細說明如何與經銷商打交道。

　　企業如果做 B to C 的品牌，國際化是非走不可的路，宏碁經驗是很好的借鏡。

　　宏碁最早做的是 B to B to C 生意，中間 B 是國家總代理，宏碁不直接跟 C 接觸，所有的業務、行銷由國家總代理負全責，這是最基本的國際化，因為我們資源不夠、知名度不高，在當地消費者的印象中還是無名小卒。

　　之後，國家代理商開始做廣告，宏碁主動分攤一些費用，慢慢介入國際化行銷，代理商廣告所傳達的形象，都要經過宏碁同意，或至少跟宏碁想塑造的形象一致。因此，我們雖然還沒派人到海外，已經開始國際化運作。

　　到了第三階段，我們到海外設立分公司，就近幫忙總代理一起跟消費者溝通。我們選擇媒體做為溝通管道，媒體也分成 B to B、B to C 的媒體（台灣的《經濟日報》、《工商時報》是 B to B 媒體，《聯合報》、《中國時報》是 B to C 媒體），要傳達的訊息不完全一樣。

　　事實上，就算有品牌也不一定非走國際化不可，聯想電腦只有經營中國大陸市場，因為市場規模夠大，成果不錯；但是，品牌要開拓海外市場，就必須開始國際化的運作，聯

想要在已成熟的產品及市場進行國際化為時已晚，因此併購IBM個人電腦部門希望迎頭趕上。

▓ 國際品牌的條件與實例

現實總是很殘酷，許多台灣企業再怎麼努力，也很難在國際市場打出自己的品牌。要創造國際品牌，必須滿足以下幾個條件：

第一，有創新的產品。這會讓你的國際化之路輕鬆很多。所謂的創新，是指有價值的創新，而不是標新立異的創新（本書第二章專門討論創新）。

第二，品牌要有差異化。名字要簡單、好記，否則容易造成混淆。有些品牌是透過名字、顏色、圖像來建立識別，目的是要突出。

第三，要靠行銷不斷運作。運作牽涉層面很複雜，還要藉外力，媒體、廣告、通路等都是外力。最大的挑戰正是管理這些外力，而且是管理國外外力的能力。

日本的索尼（SONY）無論在產品創新、創造品牌知名度上，都有出色表現，它的問題也是日本企業國際化的通病：沒有當地化，造成管銷費用、成本太高，做那麼多事卻沒有賺到錢，顯示其國際化管理能力出問題。

索尼是知名國際公司，過去因為產品有差異化，利潤極高；隨著時間及市場改變，再怎麼獨特的東西，競爭者都做得出相近的產品，索尼的高利潤商業模式必須改變，這時就要採取薄利多銷模式。這兩種模式有衝突，如果沒有管好，很容易就出現營運績效不佳的結果。

講到行銷，台灣企業最大的罩門，就是運用行銷費用的能力較差。同樣一筆錢，美國企業就很懂得造勢，創造最大價值，台灣企業在創造流行的原創能力上明顯不足。

第四，要有國際行銷能力。行銷能力是很多知識的累積，如定價、促銷推廣、通路等等。國際化的行銷能力，指的是有第一流的實務運作與執行能力。但是，要到某個國家去執行時，國際化的管理能力就變成必要的關鍵。

誠如之前所述，要做國際品牌，必須具備產品、行銷與國際管理能力三要素，除了產品與行銷能力必備國際競爭力之外，還要有當地化的管理能力。

當地化的管理能力

我就以台灣軟體業第一品牌趨勢科技來說明。

趨勢的產品具有競爭力，同時競爭者少。趨勢產品具美國產品的水準，但成本架構、彈性更有優勢。趨勢的國際化

比一般產品容易,因為產品是搭著個人電腦銷售。

趨勢初期是做 B to B,行銷複雜度不高;後來因為中間 B 的推薦,逐漸在消費者間建立名聲。趨勢品牌價值高的原因,在於市場占有率高,而且它是軟體業,高市占率的效益比硬體高出更多。

趨勢現在面臨的挑戰是已經無法只靠產品競爭,為了服務全球客戶,它需要提高當地化的服務能力,而國際化、當地化所需的較大規模管理能力,成為其更上一層樓的考驗。

從隨機綁在電腦裡的產品,到目前不只要防毒,還要除蟲及更多服務,以前趨勢科技只要透過 B 賣產品即可,現在開始要面對消費者,而每個消費者面對的病毒問題都很複雜,中間的 B 無法解決。因此,它的本質已經從 B to B,慢慢轉變成 B to C。

至於華碩,原本的品牌是建立在主機板產品,主機板是零件,不是成品,不必面對消費者。華碩的產品領先、品質穩定、互通性高,在 B 之間有口碑,很好做生意。

品牌新思維

要做國際品牌,必須具備產品、行銷與國際管理能力三要素。除了產品與行銷能力必備國際競爭力之外,還要有當地化的管理能力。

　　特別的是，華碩還有一大群小B（組裝電腦業者）、一大群小C（自己DIY電腦的消費者）。小B需要靠華碩主機板高品質的特性，來和大廠牌競爭。小C則多半是學生，沒有錢買大品牌，自然會挑台灣製造的主機板。

　　華碩的模式可說是B to B to C，這種模式對它的筆記型電腦在台灣市場打品牌很效，但對打歐洲市場助益有限，因為其品牌本質不是B to C，必須重新建立。當然，華碩品牌在台灣市場還有一股推力是來自股票族，它的品牌曾是靠股王來建立，股票族是一群C，讓華碩有B to C的形象。

　　再來看聯想的例子。1996年宏碁和聯想合作推出全民電腦，我曾經拜訪過他們，當時聯想正在徘徊要不要國際化，我建議他們放棄。因為做主機板、電腦，聯想的規模大不過台灣；做B to B也不是台灣的對手。

　　聯想後來放棄國際化，決定將一部分製造外包出去，專心經營大陸B to C的市場，建立自己的品牌，逐漸累積經驗之後，目前聯想在中國大陸當地的行銷能力、管理能力都領先其他競爭者，國際公司很難與之抗衡。

▌想清楚企業的本質

　　歸納先前的論點，我認為思考用什麼方式打品牌，首先

還是得想清楚，企業的本質是B to B還是B to C？

　　B to C的產品特質大致可分耐久產品及消費性產品。耐久產品一般使用單一品牌，也比較會用公司名稱做為品牌。耐久產品是理性的產品，像個人電腦，產品大同小異，沒有太多空間做不同定位，客戶群也沒有太大差別。又如汽車，不同價格的車子有很大差異，但同一價格的車子差異性不大，品質與服務的品牌形象，變成客戶購買的重大因素。一般而言，理性產品的毛利率多半在10％～30％之間。

　　如果是一般消費性產品，如衣服、清潔產品等非耐久材，因為每種產品規模較小，一般使用多品牌模式，它的產品差異化呈現在品牌與設計。

　　相對來說，不同品牌的定位就有很大空間可區別（例如市場區隔、年齡區隔等），這種產品比較感性，可以有很多選擇，也有不同的客戶群。感性產品的毛利率多半在70％～90％之間。

　　感性的產品，如衣服、電影等，推銷到不同市場時，經

品牌新思維

思考用什麼方式打品牌，首先還是得想清楚，企業的本質是B to B還是B to C？

常避免不了文化隔閡。行銷理性的產品，可以根據一套標準化的模式做微調。行銷感性產品總是牽涉到產品適用問題，難度較高，市場區隔也很複雜。

感性產品經常使用多品牌來訴求不同的區隔市場，失敗了還可以換個品牌重新再來，理性產品失敗了就很難重來，兩種產品所需的國際化能力並不一樣。

理性產品因為規模大，行銷要靠自己貫穿；感性產品的原創形象很重要，行銷則要透過授權當地化進行，因此國際化運作的投資較小，最多只設聯絡處來管理當地，不過國際知名的跨國企業，因規劃大、品牌多，值得自己設點，有效貫穿。

最後，不論是理性或感性的產品，台商如果要做 B to C，今後的方向還是優先從大陸市場開始。先在台灣練兵，到大陸發展，然後再到東南亞，建立知識、累積經驗後，再全面發展國際化。

先在台灣及大陸打品牌，除了市場考量之外，也是考慮到新產品的市場回饋較快，可以很快找出產品不暢銷的原因，立即做出符合市場的修正。

品牌與價值

過去，在產業價值鏈當中，
最有價值的是製造；
如今，研發與行銷卻變得愈來愈重要。

　　品牌價值雖然無形，卻是企業價值重要的成分；產業變動快速已經成為競爭常態，品牌價值的重要性也與日俱增。

　　不少人將品牌價值與企業價值混為一談，實際上，品牌價值並不等於企業價值。企業是一個法人、一種組織，研製產品或服務以供應市場的需求；企業的價值就在於創造價值、價值實現。

　　說得更透徹一點，企業價值指的是當市場有需要，就去創造產品來滿足這個需要，落實到企業活動，是研展、設計、製造。

　　創造之後，就要去市場的所在實現價值，落實到企業的活動，就是通路、服務以及行銷（表2-1）。而行銷要有效，就需要品牌。

表2-1　企業價值公式

企業價值＝價值創造能力 × 價值實現能力
$$EV = VC \times VD$$
價值創造活動：研發、設計、製造等
價值實現活動：運籌、行銷、服務等

　　品牌形象跟企業形象是否能夠連結，要看品牌名稱是

否等於企業名稱。如果品牌等於企業名稱，兩者的形象會緊密結合。企業如果採用多品牌策略，每個品牌都有自己的生命，品牌形象就不一定跟企業形象直接相關。

品牌價值公式

品牌有生命，也有自己的特質。如何計算品牌價值，專家、學者各有解讀。根據多年打品牌的第一手經驗，我得出一個品牌價值的公式（表2-2）。

表2-2　品牌價值簡化公式

$$品牌價值＝品牌定位 \times 品牌知名度$$
$$BV = PC \times AV$$

$$品牌定位 = \frac{價值}{成本} - 1$$

這是比較簡化的公式。展開來看：品牌定位和知名度如果轉換成有形的數量，那麼品牌定位等於售價減成本；要實現知名度，就要轉換成客戶數。兩者相乘，基本上即是企業的利潤。

　　兩者相乘的結果可能得到負數值，表示企業虧損。但是，虧本的企業可能還是有品牌價值，這是因為知名度降低了企業重製品牌的成本。

　　品牌長期日積月累、達到某種程度的知名度後，為企業減少了運作成本，也是品牌價值的一部分。

　　因此，把簡化公式展開，可以得到一個較複雜的公式（表2-3）。

表2-3　品牌總價值公式

$$
\begin{aligned}
&品牌總價值＝各市場品牌價值總和\\
&TBV = \sum_{i} BV_{mi}\\[1em]
&各市場品牌價值＝各產品在該市場的品牌價值\\
&BV_{mi} = \sum_{i} (PV_{pj} \times AV_{pj})\\[1em]
&TBV = \sum \sum_{i} (P_jV_{pj} \times AV_{pj})
\end{aligned}
$$

　　要真正計算企業的價值與品牌價值，就必須讓品牌定位、知名度在未來能轉化成有形的數量。品牌定位如果是負面的，就算知名度再大，也不會有太多客戶，對品牌價值造成的是負面效果。

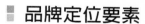 品牌定位要素

　　品牌定位有幾個要素，亦即品質、創新、整體服務、企業形象、信心、領導流行；決定了定位，就會思考售價，而售價跟客戶的期望值有關。

　　品牌有了售價，相對也會有成本，經營企業最重要的關鍵，就是要用相對低的成本，達到想要的定位。因此，「售價低的品牌沒有品牌價值，售價高就有品牌價值」的說法並不正確。

　　最好的策略是售價訂得很高，成本卻很低。兩者有價差最重要，如果定價高，但成本更高，就沒有品牌價值。

　　這些就是我所謂的品牌定位重製成本，即重製到那樣的定位與知名度所需要的成本。從這個角度看，重製成本還是等於品牌定位乘以知名度。

品牌新思維

要塑造品牌，創新在先，有了創新，有助於降低成本、提高定位和知名度。

▓ 如何塑造品牌價值？

品牌價值有三個元素：定位、知名度與重製成本（表
2-4）。三者環環相扣，要塑造品牌，創新在先，有了創新，
有助於降低成本、提高定位和知名度。缺乏創新又要塑造品
牌時，成本較高、效益較差。

表2-4　品牌重製成本評估

品牌重製成本＝欲達目前知名度的投資＋（品牌定位 × 規模）
（可能是負數）

當企業察覺自己缺少創新動力時，應先做準備工作，等
創新出現再塑造品牌。

有了這些本質，才能考慮如何跟目標市場溝通，溝通必
須多管齊下，媒體、生意夥伴、客戶、活動等等。我認為，
最關鍵、成本最低、最可靠的溝通管道是媒體公關。一般而
言，公關在於塑造形象，廣告則是促銷、推廣。

塑造品牌最重要的方法是創新，而且要重複出現、有一
致性，並長期累積。推出的廣告要有創意、品質、一致性，
凡此種種，都深深影響品牌定位與知名度。講來講去，就是

要動腦筋、用心，辦活動也一樣，要讓人留下印象，又能傳遞你要的訊息。這部分我將在第六章深入詳談。

品牌價值當然跟花費有關，但錢不是唯一的推動力。如果夠創新，就可以少花一點錢；時間久了、用心經營，也不見要花很多錢。

千萬不要誤以為，多花錢就能建立高的品牌價值。不容否認，花錢塑造品牌，到最後還是有不一樣效果。可以這麼歸納：品牌價值是創新加錢加時間加經營的總和。

最近這幾年，網路搜尋引擎公司Google迅速竄起，它沒有花錢打品牌，卻擁有很高的品牌價值。在我看來，它雖然不花錢，卻靠時間、創新（新的服務）與經營，快速累積很大的價值。

從品牌永續的角度來看，Google長期還是需要花錢及創意維持其品牌價值，否則將被更創新的商業模式及服務追上。

▋如何維持品牌價值？

品牌可分為有效品牌和無效品牌。在某個目標市場，消費者能夠記住、肯定的品牌，並且超過一定門檻，即是有效品牌。行銷品牌一定要注意區隔，每個目標市場的經營方式也不一樣。

　　關於品牌，有個跳懸崖的理論：跳得過懸崖，品牌就成功；跳不過就像掉入懸崖，品牌投資完全泡湯。

　　塑造品牌，是從視覺占有到記憶占有的過程，如果不繼續投入，久了就會被淡忘。品牌是連續的，要不斷加強印象，以一致、長期經營的方式，來維持品牌價值。要有效益，從結果來講，就是降低重製成本。

■ 降低重製成本

　　品牌知名度屬於視覺記憶占有，不會由正變負；但是，品牌定位卻有可能由正轉負。經營品牌知名度較花錢、時間，品牌定位則側重經營與創新。

　　建立品牌初期常常不能花大錢，必須尋求有效的方法，還要建立塑造品牌相關的要素，例如：通路、產品與國際化能力。

　　所以，初期塑造品牌要以定位為先，知名度其次，先把定位弄對，再來談知名度。

　　要找到對的定位，就要透過創新及正確的組織，之後在對的模式裡，繼續加碼、強化定位，加強並擴張知名度。花錢也要有訣竅，如果錢花錯了，等於做虛工，要隨時檢討。

　　有效塑造品牌價值的各種要素，如產品、通路、廣告溝

通的創意、公關、活動等等，都要做對，否則效果會打折。

　　例如2004年5月耐吉公司邀請籃球巨星麥可・喬丹來台灣，本來很有機會為品牌創造更好的定位與知名度，後來因為喬丹只是虛晃幾分鐘，引發消費者強烈反彈，花再多錢，還是折損了品牌價值。

　　定位跟經營有關，當經營碰到瓶頸，定位就會往下掉，相乘下來，會影響到品牌價值。也就是說，經營企業要隨時創造價值、降低成本，這就回到我幾年前提出的競爭力公式（表2-5）。

　　美國企業常常忽略成本，好公司因此失敗；台灣企業往往忽略創造價值，流於一窩蜂的惡性競爭，做同樣的產品、殺價競爭，最後開始偷工減料，反噬自己的價值。所以，競爭力的兩個指標互相影響，不能偏廢。

　　我認為，企業不只要改善自己的弱勢，更要強化優勢。

表2-5　競爭力公式

$$競爭力 = f\left(\frac{價值}{成本}\right)$$

$$企業的競爭力 = 企業各項活動競爭力的總和$$
$$= \sum f\left(\frac{價值}{成本}\right)_i$$

最忌彰顯弱勢，拿自己的弱點跟別人競爭，也就是不要把弱勢變成顯性的競爭力要素，避免凸顯弱點，且要積極「偷偷」予以改善；畢竟，醜媳婦最後還是要見公婆。

▎B to B、B to C的品牌價值

　　總體而言，B to B的品牌定位較理性，B to C定位較感性。B to B的客戶是少數內行人，採購決定是根據理性選擇而非感性衝動，也會重複購買，且購買的產品不是用來消費，而是用於自己所做的生意。

　　對一個品牌而言，如果其銷售是根據理性分析所產生，品牌知名度的影響力相對較小，購買決策也比較慢。

　　B to C品牌則不然。消費者通常較難掌握B to C品牌的好壞，既缺乏經驗判斷它品質好不好，也沒有專業鑑別它技術優不優；如需售後服務，也不知道將來服務能滿足與否，一切只能用「聽說」、用「感覺」的。

　　因此，塑造品牌形象與知名度，對B to C品牌格外重要。B to C品牌的顧客，做選擇時比較感性，也比較簡單；就算買錯一次，損失有限，做決策比較快。

　　B to B、B to C品牌價值對企業價值的不同影響，可歸納為以下兩點：

一、比重的差異：B to B的品牌價值對企業價值的影響比重較低；B to C的品牌價值對企業價值的影響反之較高，如可口可樂、耐吉這樣大型的B to C企業，品牌價值的比重高達七、八成。

二、塑造的複雜度與時間的差異：B to B較單純，不太需要刻意塑造，品牌可以自然產生。B to C的品牌則需花很多技巧塑造、長時間日積月累。

至於計算B to B to C品牌的價值，則是先分別計算B to B、B to C兩個價值，然後評估其綜效。亦即B to B to C品牌價值公式，等於B to B的品牌價值受B to C的品牌價值倍數影響（表2-6）。

B to B to C的企業，必須兼備兩種特質，一方面要很實際、理性，一方面又要摻進感性成分。另外，這兩種B雖會互相幫忙，也很難避免衝突。

品牌新思維

B to B的品牌定位比較理性，B to C定位較感性。B to B的客戶是少數內行人，採購決定是根據理性選擇而非感性衝動。B to C品牌的顧客，做選擇時比較感性，也比較簡單；就算買錯一次，損失有限，做決策比較快。

表2-6　B to B與B to C相加或相乘的品牌價值

A. 微軟（B to B ＋ B to C）
品牌總價值＝B to B品牌價值＋B to C品牌價值
$$TBV = \sum_i BV_{bi} + \sum_j BV_{cj}$$

B. 英特爾（B to B to C）
品牌總價值＝B to B品牌價值 ×B to C品牌價值的影響力
$$TBV = \left(\sum_i BV_{bi} \right) \times f\,(BV_c)$$

　　例如，英特爾在B to B的品牌形象外，還要透過電腦公司塑造B to C的品牌形象，IBM不願意幫它抬轎，宏碁以前也不願意，兩造立場易生衝突，不易做到魚幫水、水幫魚。

　　微軟是個成功案例，他們有B to C的產品，也有B to B to C的產品；他們的B to C產品主要是在應用方面，而且產品非常強勢；微軟的B to B to C產品視窗（Window）的介面是顯性的，不像英特爾的CPU是隱身在機器裡，因此占了很大便宜。

　　微軟這兩種模式相安無事，因為它本來就有B to C產品，而且對B to B產品是互補的，跟客戶不會衝突，更何況

它的產品是壓倒性的強勢。

累積品牌知名度

在品牌形象管理方面，英特爾與微軟對於品牌廠商規定都非常嚴格。

微軟規定廠商不准更動其產品和消費者眼睛接觸的元素（就是那個視窗），1995年宏碁「渴望」電腦問世時，曾把這個東西包住（就是它的視窗不見了，或是很快閃現不見），微軟立刻抗議。這麼做不一定會影響它的形象，卻關係到知名度。

累積知名度的方法有很多，微軟、英特爾的做法不能一體適用。知名度不只是使用者多、使用次數多而已，知名度要產生作用，必須被消費者牢牢記住。

我提出廣告對消費者產生視覺占有卻暫留的理論，視覺占有最後要轉化為記憶占有。要占有消費者的記憶，有兩個

品牌新思維

我提出廣告對消費者產生視覺占有卻暫留的理論，視覺占有最後要轉化為記憶占有。要占有消費者的記憶，有兩個重點：印象深刻以及常常聽到看到。

重點：印象深刻以及常常聽到、看到。由此可知，做品牌的功夫很細緻，不但要做對，還要重複不斷強調。

▓ 品牌公式的應用

　　品牌的幾種公式，有的要相加，有的要相乘。如果是相乘，就不能只重視其中一項，這就好像考試錄取的標準不能有一科不及格，如果有一科考得很好，另一科不及格，相乘起來結果還是不及格；如果是相加，你可以選擇只做 B to C 或只做 B to B，不要勉強自己兩邊都做。

　　宏碁就是兩邊做，最後發生生意上的衝突，即自有品牌跟其他品牌委託商的衝突，不一定是形象衝突。

　　說得更明確一點，代工業務本質上是屬於 B to B，但是如轉型前的宏碁、明基、三星（Samsung）等，是 B to B 加上 B to C，因 B to B 與 B to C 的產品幾乎沒有差異，不像微軟 B to B 的 Window 與 B to C 的 Office，不但不同而且互補。

　　B to B 不需要複雜的行銷，像英特爾那種 B to B to C 雖然要做很多行銷，但是管理上的衝突較少，關鍵是讓中間 B（電腦公司）替你抬轎，並要有相當籌碼協助客戶強化能力。如果第一個 B（如英特爾）產品很強、利潤很高、競爭者少，中間的 B 就會受到牽制。

▌ 不受制於人

　　例子不勝枚舉。IBM不乖，英特爾就扶植康柏；康柏不乖，就拉拔戴爾。英特爾使用的策略，是典型的蘿蔔與棍子雙管齊下，不聽話的不是價格上不支持，就是新產品晚一點給你；在個人電腦，產品價格高及新產品慢就死定了。

　　英特爾還有一招，就是到印度、蘇聯賣主機板，要把「阿斗」扶起來，可惜白牌的阿斗扶不太起來，但對知名品牌已形成壓力。它之所以多方嘗試，就是要狡兔多窟，不受制於人。不過，經營企業本來就不能受制於人。

　　宏碁的B to B加B to C模式，一方面和委託代工廠商之間的關係漸行漸遠，另一方面內部管理衍生的困擾日益加重。

　　B to B加B to C需要兩套文化，好好照顧B to B的是一套文化、人馬，好好打B to C品牌的是另一套文化、人馬，內部一定要設防火牆，否則彼此會有嫌隙。產品、文化各有不同，管理就變得更複雜。

　　B to B to C品牌沒這個困擾，像英特爾，只需要一套管理，商品策略也無二致，只是要再加強深入了解客戶的客戶。宏碁就麻煩多了，類似的產品還要有不同的策略，簡直是在兩面作戰。B to B、B to C並重的結果，就是無法單純、不能專注。

▌ 強勢產品就有優勢

宏碁是先有強勢的 B to C 品牌，才能做 B to B 的生意，腳踏兩條船，後來出現眾多追兵，反過來影響 B to B 生意。同樣是 B to B 加 B to C 的三星就沒有這種困擾，原因在於它 B to B 和 B to C 的產品不同。

三星 B to B 的產品主要是 TFT-LCD（液晶顯示器）、DRAM（動態隨機存取記憶體）；如果 B to B 與 B to C 的產品相同，則此產品一定要是強勢產品，如監視器，早期三星有 CRT、現在有 TFT-LCD，自己在賣，代工委託商還是要找它做，因為它強勢，也不會因為要做 B to B，而放棄 B to C。

由此可知，要做 B to B 加 B to C 品牌，有一個重要前提：自己的 B to B 要很強勢。這也是為什麼明基轉型為 BenQ 後，要積極利用 B to B 的強勢，把 B to C 生意拉起來。

幸運的是，明基在這個過程中，代工委託商的選擇並不多，台灣監視器供應商就那幾家，都是大規模製造；而且，純做 B to B 監視器生意的只有光寶一家，其他都兼做 B to C，如三星、飛利浦（Philips）等，也都免不了明基遇到的衝突。

宏碁比較不幸，碰到的競爭對手如仁寶、廣達，都是純種 B to B，打起來就很累。

再加上，明基和它的代工委託商並不是直接競爭，明基

賣給終端消費者的是單賣的周邊，賣給代工委託商的是整合賣的系統為主，兩者衝突本來就比較少。

▉ 品牌的衝突

B to B to C的品牌價值，是B to B的品牌價值受B to C的品牌價值倍數影響，兩者的衝突不大，也不算是品牌衝突。同樣的，B to B加B to C的品牌價值，也等於B to B的品牌價值加上B to C的品牌價值，但這兩者如果相同，就會互相衝突，最大爭執是彼此搶資源。

比如說，缺貨時到底哪一個重要？先供應誰？怎麼講都說不過去。這是自然衝突，B to B to C就沒有這個問題，反正都要經過中間B，誰在中間配合得比較好就多給它貨，最終市場的品牌利益不衝突。

依我所見，解決衝突的辦法，是以原來生意的大小為判斷標準；然後再思考是否要做策略性改變。也就是說，如果要多開拓代工業務，就先給B to B；如果代工愈來愈不好做，就先給B to C。

當然也要考量利潤，但事實上，就創造企業價值的角度，B to B跟B to C相去無幾。但對B to B的客戶及公司負責B to B與B to C的業務人才而言，他們的心裡永遠覺得不平。

　　我們一直被一個觀念誤導，以為 B to C 的利潤比較高。B to C 的毛利的確比較高，淨利就很難講了。這時必須思考企業價值，雖然 B to C 可以賣得比較貴，成本卻也比較高。

　　也就是說，B to C 的實現價值運作繁重，B to B 的實現價值運作較輕鬆。B to B 產品做好了，價值幾乎同時實現，因為買主是內行人，貨到他手上，他還會繼續替你加值；B to C 則不然，貨物售出後，必須靠自己加值，還要再投入成本來實現價值。

■ 高淨利的條件

　　做 B to C 的品牌，長期要有高淨利，必須有幾個條件：

　　一、品牌定位，也就是創造的價差不能比 B to B 差。B to C 的品牌效益綜效較大，因此可以吸引龐大的客戶數量。B to C 的品牌如果有百萬人知道，還可以拓展到千萬到億，能夠無限擴張。

　　B to B 的產品量無法無限擴張，如果很有競爭力，如台積電，自然就會有那麼多量，這不是品牌效益使得量增加，而是創造價值、實現價值的能力強，進而使銷售量提高。

　　二、要借重品牌定位和知名度相乘。B to C 的品牌價值占企業價值的三到八成，所以要充分利用，才能發揮效果。

▌古老產業利用品牌價值的微笑新解

　　1992年，我為了了解電腦產業價值鏈的發展走向，思考出微笑曲線理論。我發現，過去最有價值的是製造，但製造發展有愈來愈簡單的趨勢，附加價值也愈來愈低；相反的，研究發展和行銷卻愈趨重要，而廣義的行銷定義，包含了服務、通路、品牌、運籌等等。

　　更重要的是，我在90年代初期，聽到美國已經出現垂直分工的說法，當時最有名的一句話就是《哈佛商業評論》雜誌（*Harvard Business Review*）所說的：「不製造電腦的電腦公司，無晶圓廠的半導體公司。」顯示整個產業都在分工，研發、製造、行銷也可以分工，也就是說，一切的企業活動皆可外包。

　　微笑曲線經簡化後，發現它可以應用在絕大多數的產業，尤其是在知識經濟型的產業（圖2-1）。

　　從經營品牌的例子來看，我最喜歡用兩個例子，一個是

> **品牌新思維**
>
> 過去最有價值的是製造，但製造發展有愈來愈簡單的趨勢，附加價值也愈來愈低。相反的，研究發展和行銷卻愈趨重要。

圖2-1 新宏碁的微笑曲線

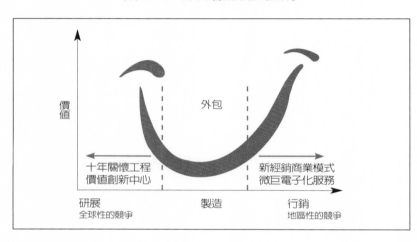

有數千年歷史、最傳統的產業 —— 農業；一個是知識含量最大的產業 —— 教育。

傳統農業絕大多數的活動是生產，也就是所謂的製造，需要大批「就業」人口，是政治穩定的力量。直到現在，農業就算在整體經濟上已沒有分量，在政治上依然很有影響力。

農業如何把其有限的經濟價值轉換成政治價值，不在本書討論範圍之內，但可以看出，今天的農業還是在傷心曲線（upset curve），如果不能轉為微笑曲線，最後笑都笑不出來。我始終有個願景，相信台灣農業價值可以從傷心曲線扭

轉為微笑曲線。

經驗密集與知識密集的台灣農業

如果大家還記得，二十幾年前台灣的農業博士遠比電子博士多，台灣掌握的農業技術，在全球的產業定位遠高於其他產業，即使在今日，比起電子產業也絲毫不遜色。

我理想中的台灣農業，是利用微笑曲線左邊的技術、研發人才，不斷落實在育種、育苗。台灣農業要做的，就是專賣這些關鍵產品，好比只賣CPU就夠有競爭力。

我們不必自己種產品，台灣的角色是實驗農場、實驗市場，不是量產，只要擁有技術、品牌，產品可以移到國外生產。這條路，是讓台灣的農業製造走向高科技之路。我們要做的是高附加價值的製造，非得掌握的關鍵製造才自己做，比如像科技產業的TFT-LCD及半導體。

> **品牌新思維**
>
> 我理想中的台灣農業，是利用微笑曲線左邊的技術、研發人才，不斷落實在育種、育苗。台灣農業要做的，就是專賣這些關鍵產品，這就好比只賣CPU就夠有競爭力。

　　台灣農業會逐漸像高科技業，以前是勞力密集，未來是經驗密集、知識密集。有了左邊的基礎，最重要的是掌握右邊的品牌，而做品牌最有效的方法，就是靠左邊的技術創新，做出又美又甜又好又健康的新水果。

　　台灣水果也許可學習法國紅酒、德國汽車，成為國家品牌表徵，許多地方特產有機會成為國際品牌，例如黑珍珠蓮霧、蝴蝶蘭，替台灣的水果、花卉代言，這也是開始在塑造個別產品品牌。

　　智慧財產、實驗農場、建立價值鏈的經驗都到位後，即可到海外複製。複製時，製造要借重當地，運籌要輔導當地，這些經驗均能重複利用。

　　我還有個夢，台灣可以運用台商資金，在海外生產農產品，這樣一來，也解決了當地的政治問題。果真如此，幾十年後世界將徹底改觀。

　　這並非癡人說夢，過去台灣農耕隊就是我們的外交尖兵，只是農耕隊並沒有產生經濟規模及效益。

▍微笑曲線應用到教育產業

　　教育本來就是微笑曲線，只是沒有商業化，因為知識這種智慧財產掌控在少數人手中。誰是製造者（或傳播者）？

就是學者、教師。在教育裡面，有智慧財產的品牌（如孔子、孟子、莎士比亞等等），當然也有通路的品牌（如個別學校）。

宏碁過去有一個教育計畫，正是微笑曲線的例子，只是當時我並未察覺。

宏碁曾經設立微處理機研習中心，訓練了三千個工程師。這些人在二十五年前都是中階主管以上、電機工程師或具理工背景，但沒念過電腦，而微處理機的新知是必備的工具，這三千個工程師目前都是資訊業重要的尖兵。

宏碁自許為微處理機的園丁，開設一個研習班，授課時數共六十小時；我們還包班到聲寶、RCA去上課。

研習班由宏碁跟全亞合資的宏亞公司主辦，有兩個成功關鍵：一個是EDU80（80是Z-80 CPU的產品名稱），利用這台全亞設計製造的教學機來上課；一個是由台北工專教授編寫實驗手冊，這本實驗手冊就是IP（智慧財產），我們也翻譯成英文。

後來，我們把EDU80改良為「小教授」學習機，既新穎又便宜，很受歡迎。目標市場也很明確，就是大學工科學生。問題在於為什麼可以有效大量培訓人才？不只是因為學習機有競爭力，更因為其他類似的學習機產品沒有我們這本教材完整、內容扎實的「祕笈」。

要訓練三千個工程師，如果沒有好的實驗工具跟教材，根本無法完成。

三千個人怎麼上課是個問題，我們前後招了六十班，不可能由一個人包辦所有課程。最初，我、林家和都去講課，先當第一棒；接下來，李焜耀、施崇棠接棒；最後連吳廣義也上場。我還記得，那時吳廣義才剛畢業，沒有任何工作經驗，他當學生只試聽兩次課，就當起講師了。

微笑曲線應用在教育產業的重要價值就在這裡，它可以量化，把左邊弄好了，中間就可以訓練出品質認證、成本較低、數量足夠的師資，由他們負責一批批大量傳授給學生；而好的教材加上方便、經濟、有效的授課，自然建立品牌；有了品牌，更容易大量招生。

張光瑤、林銘瑤、邱英雄在台中，林憲銘、梁秋生在高雄，這些師資來源比找教授方便，且教學相長，對人才訓練非常有效。

▌向左走？向右走？

從產業或國家發展來看，中間的製造如果已經占有一席之地，當然不能輕言放棄，但今後要往左走，還是往右走？

一個單位資源有限，不能兩邊都要，目標太多，力量會

分散，什麼事都做不成。可選擇專注在哪一邊，並且要漸進的由底部往上，目的是有一天能走到左邊的最上方或是右邊的最上方。

有人把通路視為另外一環，但在我的理論中，通路、運籌、服務、品牌行銷等都在右邊。無論是經濟發展、產業發展或企業發展，基本原則殊途同歸。

我特別要分析的是高科技業，很多人認為，台灣的高科技公司還是以製造為主，但有空洞化的危機。話雖如此，我認為我們掌握了製造，只是局勢改觀，中間的製造移到大陸做，我們的資源往左邊走研發、設計，往右邊做服務、全球運籌。

一般人只看到中間的製造，覺得產業都跑到大陸去，好像空洞化了；以我的看法，台灣企業的競爭力在過去五年、十年不斷提升，因為我們不但往兩邊走，也沒有放棄中間，只是把中間交給在大陸的台商，這跟美國企業把半導體製造交給台積電、聯電、完全放棄製造的景況，不可同日而語。

品牌新思維

全球化如果沒有配合世界公民的做法，一定會出問題。贏家要照顧輸家，讓輸家還有飯吃，問題只是大贏小贏而已，大家都可以相安無事。

日本企業雖然沒有放棄製造，但是移到國外去不見得很有效。日本都是自己到海外做製造，但是在管理上，不如專心做製造的企業那麼有效。日本企業的製造效率與品質沒有問題，但彈性、成本、速度均非其所長。因此，台灣企業到海外做製造，比日本到海外製造有效。

▊ 品牌與競爭力

1989年我受邀到總統府演講「科技島與世界公民」時，提出競爭力公式。我那時講科技島，有幾個重點輿論相當重視，據說是總統府國父紀念月會多年以來，媒體報導最多的一次。

我提出台灣成為科技島的說法，立刻取得共鳴，並變成朝野及產業的共識及目標；世界公民的想法（企業在哪個地方做生意，就要變成當地的企業公民）卻引發一些論述。

有人認為世界公民的陳義過高，很難實現，但我相信，世界大同、經濟發展、兩岸關係這些看似很難實現的理想，都應該用世界公民的思維才能解套。

事隔十六年，現在我們最大的爭議還停留在，到大陸投資，利潤是留在台灣還是大陸？答案很簡單，當然兩邊都要留，不能偏廢任何一邊。但是，目前的爭論都陷入應該全部

留在台灣，或全部留在大陸的絕對思考。

即使到現在，世界公民的觀念還是很重要。當今在論斷全球化的利弊時，正反兩面拉鋸得很厲害，要解決這個問題，還是得回到世界公民的思考。全球化如果沒有配合世界公民的做法，一定會出問題。贏家要照顧輸家，讓輸家還有飯吃，問題只是大贏小贏而已，大家都可以相安無事。

科技島概念

在科技島的概念裡，我提到三件事情。

一、技術引進、研發深耕、技術外銷三管齊下的觀念。政府那時還沒接受，技術引進、技術深耕大家很容易了解，但是技術輸出就引起很大爭議，政治卡住了經濟正面的循環。全球化的趨勢，企業在比較利益及激烈競爭的環境下爭相外包，但外包因為經濟考量，常變成政治問題。

主動外包解決問題的，就提高競爭力；不外包的企業，就無法競爭生存。

二、設置中心科學園區、衛星科學園區。北中南東部應該要有中心科學園區，現在只剩下東部還沒實現。中心附近應該有很多衛星園區，由交通線連接，我那時用來說明的是德國的案例。

當時我構想的各地科學園區，應發展出地方特色，現在的科學園區都用複製，複製最大的問題是供過於求。如果大陸也複製台灣，必定造成全球供過於求，便是一場災難了。例如半導體業，如果大陸的半導體產業沒有約制，任其隨便發展，就會造成全世界的災難。

半導體是產業之米，在觀念上，你當然要掌握米，如果米太多了，就要思考是不是一定要自己生產？在全球化、新經濟的大趨勢下，新的思維有其必要。

三、當時還沒有渴望園區的觀念，我反覆強調台灣的土地要翻一翻，科學園區附近的土地，要變成未來的生活區、提升生活品質的社區。至於當時所提出的競爭力公式，就是價值除以成本的值愈高愈好。價值是品牌、形象、品質、創新，成本是勞工、環保、材料。

創造更高的價值

我後來在〈生生不息的競爭力〉一文裡更強調，所有的價值與成本都要考慮到有形與無形、直接與間接、現在與未來各種層面。

競爭力是多元的，提升競爭力的方式也很多。還記得那時我說，我們沒有石油，不能抱怨石油進口成本太高，應該

想的是如何為石油創造更高的附加價值，或者在其他地方賺更多錢，來彌補這個不利的因素，因為競爭力不是只有一項。

　　台灣經濟成功的結果，是人力成本提高、環保意識提升，這也是經濟發展的目標，要提升競爭力就必須創造更高的價值。

　　以降低成本提升競爭力這件事，全世界台灣最厲害；至於創造價值，我們還有很大的改善空間。台灣製造產品，品質已臻完善，但創新與品牌仍力有未逮。

　　台灣企業同時還有一個問題，亦即創造價值的能力夠，實現價值的能力不足。為什麼？要實現價值，就必須到市場去實現，然而市場都不在台灣（表2-7）。

　　提升整體競爭力的策略很簡單，競爭力有很多評比項目，如果其中一項先天沒有競爭力，就必須在另外一項借重現有的優勢，繼續加強。如果本身很弱的部分，會影響到其他地方變弱，就要再加強。

　　比如說，政府行政效率影響很多競爭力評比項目，加強

品牌新思維

台灣要創造價值，重要的不僅是創新，而是整合，尤其是整合創新或創新整合。台灣未來要創造價值，最重要的是提高整合能力。

表2-7 價值創造，實現競爭力

各項價值活動競爭力＝該項活動之 $\frac{價值}{成本}$ 比

企業價值＝各項價值創造活動之總和 × 各項價值實現活動之總和

企業競爭力＝ $\sum\limits_{i} \left(\frac{價值}{成本}\right) VC_i \times \sum\limits_{j} \left(\frac{價值}{成本}\right) VD_j$

行政效率，會變成提升台灣競爭力的關鍵，政府應該全力放在改善行政效率。

▉ 提高整合能力

過去我一直認為，台灣要創造價值，創新與否最重要。三、四年前，我的想法有了轉變，我認為重要的不僅是創新，而是整合，尤其是整合創新或創新整合。

台灣未來要創造價值，最重要的是提高整合能力。創新當然還是很重要，大家也都精於此道，接下來要產生價值，就要靠整合。例如，不重複投資就是整合，整合就是只做高附加價值的事情，不要什麼都自己做。台灣的問題在於既沒

有做品牌的環境，也缺乏整合的環境。

　　整合有兩種，技術性整合和生意整合。最大的技術性整合案，是在軍方的中山科學院，目前因經驗無法複製，尚無益於民間整合能力。發射衛星也是技術整合，已慢慢有一些成功案例。商品整合台灣也做得很好，因為有標準，但相對簡單，競爭障礙小。

　　整合要靠大老，不論生意整合或政治整合，都需要大老。我一直認為台灣是華人產業的大老，台灣的未來要靠整合全球華人的資源。至於如何進行，我還沒有清楚的具體方案，也是在一步步做。

　　我也不客氣的說，我是高科技的大老，跨越的產業領域最多，科際整合相對比一般產業多。但整合產業的前提，是整合者的利益不能與被整合者有利害衝突，一定要使參與者都是可能的贏家才能成局。

　　對於台灣經濟發展及企業經營的思考，有各種不同看法。我是企業經營者，並非管理學者，管理學者寫了很多理

品牌新思維

整合有兩種，技術性整合和生意整合。整合要靠大老，我一直認為台灣是華人產業的大老，台灣的未來，要靠整合全球華人的資源。

論書，其他企業經營者也寫發表不少成功的實務經驗。我的著作有兩個特色：一、我不一定寫成功經驗，也寫失敗經驗；二、我也試著提出理論，並且一定化繁為簡。

讀學者的書，如果不能弄懂全部理論，可能沒有很大效果；我的微笑曲線、競爭力公式理論，都是觀念性的啟發，就算懂一半，各取所需也能發揮作用。

我承認，這些理論也產生了誤導，例如微笑曲線理論，有人以為我的意思是要放棄製造。我絕非此意，只是說製造的附加價值低，但是當製造的量很大的話，它的總值並不低。況且，附加價值低也有一個好處，如果規模夠大時，不會有太多競爭者。

▌競爭力與品牌的關係

品牌是創造價值、同時有助實現價值重要的項目，未來所占分量會愈來愈重。微笑曲線的左邊是智慧財產權，技術濃縮變成智慧財產權，品牌也是智慧財產權，而在知識經濟裡，智慧財產最重要。

在法學上，智慧財產的定義是專利、著作權、商標、營業機密。所謂的營業機密，就是技術祕方、經營知識、客戶關係等，凡此種種都受到嚴格保護。

就創造價值的角度來看，經營品牌所創造的價值，會比擁有一般智慧財產權更高。

品牌是企業所有活動總和的績效，需要靠管理來落實，若有效執行，可創造極高價值且能持久；但是，專利、著作權因為需要不斷創新，可能很難長期保持價值，而且創意雖可能靠少數人，實現其價值則要靠多數人的有效落實。

我始終不覺得發明專利有多了不起，因為發明是個人或少數人的創意，發明有沒有價值，不只靠發明本身，還要在市場成功、創造價值，這需要資金、管理、行銷等學問。

所以，在創造價值的過程中，發明所貢獻的比重不高，一般只能占十分之一。認為自己發明什麼東西很了不起的人，通常都不會成功。

競爭力弱的企業如何打品牌？

當然，企業是否有競爭力，不一定靠品牌，要看品牌占其企業活動價值的比重，可以從10％到70％～80％不等。

分析台灣產業的競爭力，以我已經參與三十多年的電子產業為例，台灣電工器材的外銷產品，有一半是成品，一半是零組件，成品裡還有三至五成是台灣的零組件。

所以，台灣高科技的競爭力，看似呈現在個人電腦這樣

的成品，但其實不是。這也是為什麼電腦公司都不容易賺大錢，大眾、神通、宏碁都不那麼賺錢。

電腦雖然展現了台灣的競爭力，但是台灣真正有競爭力的是做零組件的 B to B 企業。很多人以為 B to B 公司沒有品牌，實際上有，只是不必為品牌宣傳做額外投資，只要品質好、交貨準時，自然就建立品牌，台積電就是最好的例子。

那麼，如果 B to C 企業競爭力較弱，要如何打品牌？這要看競爭力弱是因為品牌弱，還是其他能力弱？

品牌是寄託在其他能力的競爭力，如果其他競爭力都很強，只是因為不會做品牌行銷而影響競爭力，這時就要趕緊加強品牌。台灣很多產品都是如此，產品很好，但是不會賣。

如果競爭力弱是因為其他因素，當然要先把本質做好，再來談品牌，品牌是最後才要思考的。

華人一向不擅長打品牌，就算在美國也一樣。試問：美國華人中有幾個會打品牌？雅虎初期是以技術起家，取了一個很棒的名字，但是真正為雅虎創造品牌價值的是後來美籍的執行長。

第三章

品牌擴張

品牌的擴張最有效益的是，
同一個產品擴張到不同地區，
然後是在同一個地區，
擴張到屬性相似、定位接近的產品。
如何取捨、如何做到，
端看組織具備什麼樣的執行能力。

　　品牌最大的妙用之一是具有擴張性，但是也不能任其無限制擴張。無限擴張的結果，不但缺乏效益，用得不對甚至可能反傷原來的品牌價值。

　　品牌可以擴張到不同產品、不同地區及不同事業，範圍很廣。就效益而言，有效性最高的是擴張到不同地區，如果再配合當地化經營，更能有效創造價值。

　　擴張效益第二高的是用在不同產品，尤其是形象、定位、性質相似的產品。

■ 判斷擴張能否創造新價值

　　要注意，就算是相似的產品，如果定位差距太大，也得三思是否能借重同一個品牌。產品性質不同，定位相似，可以評估後有效借重。產品性質不同，定位又有差異，品牌擴張不但沒有效益，還可能出現負面效益。

　　至於品牌要擴張到不同事業，效益不一定直接反映在商品上，可能是反映在企業形象上，例如說信用基礎較好，有助於招募人才、籌措資金。至於是否可以直接提升商品銷售量，關鍵還是在擴張事業本身的競爭力。

　　以宏碁為例，已經擴張到大陸、印度、美國、歐洲等全球各地，目前的品牌價值還可以繼續延伸。至於產品面，宏

碁由資訊產品進入數位產品，也策略性思考如何應用原有的
品牌。

　　例如，宏碁在家電產品的形象不強，因此進入數位家庭
等消費性電子（CE）事業，是以資訊產品的形象與定位來擴
張，避免與電子家電品牌以同樣方式直接競爭。

　　品牌最有效益的擴張，是同一個產品擴張到不同地區；
然後是在同一個地區，擴張到屬性相似、定位接近的產品。
這兩種類型的擴張可以優先思考，視執行能力決定。

　　至於其他層面的擴張，有利有弊，皆需慎重考量。原則
是判斷擴張能否真正創造新的價值，可用品牌價值公式（定
位乘以知名度）來計算，確定擴張出來的價值是正數。

　　正如我先前所述，品牌定位不佳，硬要借用，即使知名
度增加，相乘之後的結果還是負值。考量的重點，在於進入
新市場、新產品、新事業後，是否增加新的品牌價值；尤其
重要的是定位，萬一定位是負數，會使管理失焦。如果延伸

品牌新思維

品牌最有效益的擴張，是同一個產品擴張到不同地
區；然後是在同一個地區，擴張到屬性相似、定位
接近的產品。這兩種類型的擴張可以優先思考，視
執行能力決定。

的產品形象不對，就會產生負面影響。

一般而言，品牌延伸到不同產品的風險較大，當然，延伸到不同地區，做不好也會有影響，宏碁在美國市場鎩羽而歸，就影響到品牌價值。

我最近看到一份品牌價值排名的報告，發現大陸知名家電品牌海爾2004年的品牌價值比2003年低，報告分析，這是肇因於海爾產品多元化。海爾的品牌，從家電產品擴張到手機、PDA，影響它原有的定位，品牌價值因此降低。

▌ 避免出現負面影響

在擴張品牌時，如何避免出現負面影響？最好是用不同組織、不同品牌來解決。例如，豐田汽車在推出豪華轎車Lexus時，用的就是這種方法（Lexus在美國甚至選擇用不同的經銷商）。

從製造的觀點來看，不同品牌可以合在一起做；但是在行銷方面，應該用不同的組織推廣，甚至連研發都可能要跟自己的行銷團隊結合，不能用同樣一群人。

可以這樣說，考慮擴張品牌時，不同事業不要去，不同產品不要做，不同定位不要做；但是，如果真要擴張，就用不同組織、不同品牌來解決。

　　賓士汽車推出 Smart car 之後，已經影響其品牌價值，我也相信 IBM 正在考慮，它的個人電腦事業對其品牌價值是正還是負；果不其然，在本書初稿之後，IBM 在 2005 年 1 月出售了個人電腦事業。

　　擴張的關鍵在於做了是不是有增加價值？如果不能確定，就要慎思而為。做不賺錢的生意，就是負的；讓管理複雜，是負的；做了讓消費者認知錯亂，也是負的。

　　有兩種原因會讓消費者對你的品牌認知產生錯亂：一種是做得太多，模糊了定位，反而不知道你真正在做什麼；另一種是做不好，造成反效果。如果有太多產品線，你能保證每個產品都是第一、定位都一樣嗎？

　　惠普的前任執行長菲奧莉納離職後，華爾街不斷討論惠普的個人電腦與印表機是否分家，都與品牌價值及企業價值的有效管理有關。

　　品牌價值是企業價值的重要一環，品牌在不同產業多元化，或許能增加業務價值，卻不一定會增加品牌價值。以遠

品牌新思維

有兩種原因會讓消費者對你的品牌認知產生錯亂：一種是做得太多，模糊了定位，反而不知道你真正在做什麼；另一種是做不好，造成反效果。

東集團為例，跨足百貨、飯店、電訊等事業，增加的是業務價值，品牌價值是否相對增加，仍有待精算。

多元化的陷阱

多角化本身就是一個陷阱，違反了經營專注的原則，企業唯有專注經營才會產生價值。多角化也違反品牌價值定位必須明確的原則，多元必然造成定位混淆。

你也許會問，韓國的三星、樂金（LG）不是什麼產品都做、非常多元化嗎？那是因為競爭因素不同。這兩家企業在韓國市場沒有競爭者，沒有競爭者則無從比較，消費者也沒有其他選擇。但是在國際市場，消費者有很多選擇，不一定要買三星的產品。

我曾經提出多元專精的觀念，多元或多角都是希望創造企業價值，利用多元化創造企業價值，確實有很多可以借重之處，例如：管理、能力、信用、資源等等；但是因為多元而失焦、無法有效專注，就必須衡量得失利弊，最後的價值，不是絕對正數。

同樣的，多角化所造成的虧損，對創造企業價值也是負面的影響。

B to B 的多元化較不同，比較容易做，傷害也較少。做 B

to B 也比較容易專注、獨立，像友達就是明基獨立出來。日本住友集團大部分的事業都是 B to B，也有很多不同產品跨足各種產業。

▌簡化專注才是關鍵

一般人都有一個迷思，認為有品牌，就可以好好利用它拓展到其他領域；宏碁擴張品牌的過程並不是一直都很成功，我的經驗慘痛，才體會這些道理。

宏碁品牌擴張失敗的部分，有地區，如宏碁美洲，最近一年多才有突破，否則一直是個尾大不掉的包袱；也有產品多元化，宏碁有系統、周邊產品，甚至用不同公司（即明基與宏碁）經營同一品牌，但是兩者有衝突，管理困擾非常多且複雜。

至於多元事業的經營，投資很多小「碁」也用 Acer，成果有好有壞，壞的絕對會扣分。這就像聯考的倒扣，如果沒有把握，就不要再多選一個選項。

現在，我就不同意宏碁做純電視的 LCD TV，也不希望它介入手機事業，因為通訊業不是資訊業。如果有一天，資訊跟手機整合成智慧手機（smart phone），宏碁或許可以考慮進入。

最近這兩、三年，宏碁都按部就班，以簡化專注為原則，品牌價值不斷提升。

▋ 提升品牌價值

品牌價值要不斷提升，就不要做長期沒有把握的市場，每進入一個新的市場，必須增加新的品牌價值。不賺錢、沒有好處的新產品不做，每做一個新產品，就要創造新的品牌價值。另一方面，任何影響品牌的產品也不做，不跨足到亂七八糟的產品線，就不會出現負面效益。

或許有人會問，專注經營之後，市場會不會愈走愈小？實際上，只有專注才有機會有效建立品牌價值，而創造品牌價值的經驗可以複製，只是不一定要用相同的品牌，可以利用許多相關產品或多品牌，來擴大規模及經營績效。

美國的大媒體集團就有不同的品牌，寶僑集團（P&G）也有很多不同的消費性產品品牌，他們複製的是經營經驗，品牌則重新塑造。

我可以用微積分理論來說明無限擴張的觀念。把企業不能做的事業一直切切切，切出之後，或許剩下很小一塊可以做，就算是很小一塊，仍有無限改善的空間。

這是內觀學，內部的宇宙無限，外面的宇宙也是無限。

　　所以，企業被綁手綁腳以後就不能做事嗎？如果要創造
價值，還是有無限空間，不一定局限在新的機會。

沒有夕陽產業，只有夕陽公司

　　很多人擴張版圖只想到新產品、新市場、新事業等新
疆界，新疆界確實是新的機會，但能不能創造價值、有利可
圖，必須慎重評估。而且，重點不是你自己覺得可行，還要
思考有沒有低估客觀環境的險惡？有沒有看清競爭者的實力
或高估自己的能力？

　　如果你認為在原來的疆界已發揮到極致，不嘗試新疆界
不死心也無妨，可以先小試，踏實的一步步進行再說。如果
原來那塊事業還沒徹底經營好，就分心去做別的，那樣非常
不值得。

　　我過去一直重申，沒有夕陽產業，只有夕陽公司，道理
正在於此。傳統產業經過舊瓶裝新酒，也會變成朝陽產業。

品牌新思維

只有專注才有機會有效建立一個品牌價值，而創造
品牌價值的經驗可以複製，只是不一定要用相同的
品牌。

　　不幸的是，品牌擴張與經營事業，比讀書、修行的陷阱多太多了。甚至，有時管理書告訴你某個「是」的道理，用錯地方也會變成「非」。

　　管理經常是失之毫釐，差之千里。有幾個原則是必要的，但很不幸的，大家認為這些基本原則沒什麼，比如說誠信原則、公司治理原則、企業文化等，沒有多少人真正重視。

■ 韓國三星

　　我就以兩家國際公司的發展，來說明品牌擴張的利弊。一家是韓國企業三星，一家則是日本企業索尼。我要分析為什麼三星品牌價值不斷上升，而知名度極高的索尼品牌價值卻開始走下坡。

　　三星每個階段的發展史都不同。三星是韓國最大的集團，在亞洲，日本企業都是以多元化的集團為主流，韓國三星也不遑多讓，非常多元化，野心大，資源也夠多。

　　早期三星進入電子業，半導體零件、各種零件、大小家電等產品無所不包，在韓國國內沒有太多競爭者，其品牌價值一路所向披靡，但在韓國之外的品牌價值就不是一帆風順。

　　三星明顯因為產生企業價值而幫助品牌價值的事業，是它的DRAM產品。三星靠DRAM的B to B生意賺了很多錢，

雖然 B to B 品牌價值有限，但它的產品世界最領先，奠定了很好的基礎。三星的 TFT-LCD 也是世界第一、技術最領先，賺了錢，也是 B to B 的品牌價值。

　　三星先創造了企業價值，接下來持續利用這些企業價值，長期投資塑造品牌知名度，對品牌價值有正面助益。但早期三星沒有創新領先的 B to C 產品，所以品牌定位不佳，雖然它的知名度因斥巨資建立，但整體品牌價值不高。

▌品牌價值大幅提升的關鍵

　　近幾年三星品牌價值大幅提升，其真正關鍵是在 B to C 的手機產品 CDMA（同一頻寬內的分碼技術），由於在世界絕對領先，且數量占有率絕對領先，後來延伸至 GSM 手機，使得三星在世界上的品牌價值迅速竄升。

　　同時，它的 DRAM 及 TFT-LCD 雖然對 B to C 生意沒有直接幫助，但是每當發表全世界最大容量的記憶體 DRAM 及最大尺寸的 TFT-LCD 產品時，即使還沒開始量產，卻已對未來在 B to C 的產品（如電視）領先的品牌形象有加分效果，產生品牌價值。

　　三星的品牌知名度是靠賺錢堆出來的，但是真正為它創造品牌價值的卻不是靠知名度，而是它在 B to B 世界第一的

定位，以及 1.5 個 B to C（一個手機、半個 TFT-LCD）世界領先的品牌定位，撐起它的品牌價值。

檢討下來，三星犯錯是在初期，幸運的是，1997 年韓國金融危機，韓國政府逼三星放棄汽車事業的多角化。如果真的進入汽車業，對它的品牌價值，恐怕有減無增。

■ 三星的挑戰

三星未來的挑戰在於，在動態競爭環境中，定位能否永遠保持領先地位？第二，它要擴張的事業，能否避免失焦、管理失效、品牌定位不清，進而產生負面價值？三星最大的盲點，可能就在它太成功了。

因為企業價值或品牌價值來自於複製成功，成功的複製有其先天限制。同一個人事情做多了，效益就差，除非有有效的「分身」。同一個品牌是不是能夠成功複製，也有其局限，一不小心就變成倒扣。

每個人在成功的時候，都會認為過去的制勝方程式放諸四海皆準，拿到哪裡都成功，實際上不然。成功了，比較容易讓人用線性思維，但真實的環境不斷在變動、非常混亂，只能很專注、獨立的思考一個個事業值不值得做。

難就難在，事業成功之後必須步步為營，慎重思考如何

擴張；可是，如果不積極、沒有野心、不願冒險也不行，所以我才說經營企業的陷阱太多。

日本索尼

接著來看索尼的例子。

索尼是第一個成功打入國際市場的非歐美企業品牌。早期從做收音機開始，就有創新的定位與知名度，除了美國和歐洲一些品牌，競爭者很少，之後歐美相關品牌也慢慢被日本公司淘汰。

再加上，創辦人盛田昭夫不做代工、只做自創品牌的成功故事，廣為各方媒體報導，為它的知名度與定位奠定了良好基礎。

索尼的成功關鍵在於產品創新，電晶體收音機就是極富盛名的創新產品；其次，在眾多產品中，它的單槍電視機非常獨特，也有很好的定位，雖然不見得對成本、競爭力有幫

品牌新思維

1997年韓國金融危機，韓國政府逼三星放棄汽車事業的多角化。如果真的進入汽車業，對它的品牌價值恐怕有減無增。

忙，對知名度卻有推波助瀾之效。第三，索尼隨身聽問世，
雖是小東西，不過因為太普及了，幾乎無所不在，將它的知
名度推到最高點。

此外，索尼的公司文化是美式風格，對品牌知名度大有
宣傳效果，從命名到管理，都是美式風格，塑造品牌價值絕
對是加分。

可惜的是，在這三項創新產品之後，索尼就有點在「吃
老本」了。在VCR事業戰場上，它的Beta打輸了VHS，折損
企業價值，品牌形象也沒有增值。

索尼後來多角化經營，到美國買電影公司、音樂公司，
非但無益於品牌價值，還可能損及企業價值，再加上一開始
沒有進入電腦事業，更是錯失良機。

後來雖然進入筆記型電腦事業，但是因價格太高、規模
不足，造成營運虧損，所以對於索尼的總品牌價值是負的。
2005年，索尼執行長出井伸之下台，交棒給美國人，能否提
振日益低迷的品牌價值，還可以繼續觀察。

■ 索尼的努力與嘗試

索尼的產品線很廣，我認為這有益於品牌知名度，但是
對真正的企業價值並沒有絕對好處，因為太多產品會增加管

理難度。

在日本，索尼的多元化甚至還延伸到金融事業，這對它的品牌價值絕對是反效果。到最後，因為利潤變少，對企業品牌的定位產生負面效應。

索尼當然也做出一些正確的擴張決策，例如它的PS2打敗了任天堂，成為索尼金雞母；另外，原手機事業不理想後，與易利信（Ericsson）共同成立索尼易利信（SONY-Ericsson）。

索尼原本在通信的形象、定位，已經輸給競爭者，決定跟易利信合作，替它在消費者心目中，尤其是歐美市場，搶得了好定位（技術領先）。

在消費通路的管理方面，索尼當然做得比易利信好；它將消費性電子產品微型化、精緻化、量產的經驗，也比易利信強。兩家公司合作，借重兩個品牌來專注經營，效果當然很好，索尼易利信也可以說是索尼的第二個品牌。

儘管做了那麼多的努力與嘗試，索尼的品牌價值仍處於

品牌新思維

索尼的產品線很廣，這有益於品牌知名度，但是對真正的企業價值並沒有絕對好處，因為太多產品會增加管理難度。

江河日下的狀態中。

▓ 專注是關鍵

關於擴張品牌，我有幾個結論：

一、事業多元化，對品牌價值可能負多於正。定位不相符的多元產品，對品牌價值也是負多於正。正負是以個別事業或產品線自己獨立的定位，以及它所處的事業跟產品線的知名度來決定。每個產品要為自己創造價值，否則會影響原有品牌價值。

二、同一條產品線，如果有定位較差的產品，會影響品牌價值。解決方法不是積極改善產品，就是乾脆放棄。

三、品牌價值雖可借重在不同的市場，還是要確認營運有效，否則可能變成負值。

四、多元化要非常慎重，專注經營是制勝的必要條件。奇異公司（GE）雖然多角化經營，但是每一條產品線都夠清楚；出售自己經營不好的事業，好的事業就透過併購擴大品牌及企業價值，讓每一個多角化事業都很專注，而且每一塊事業都夠大，不是第一就是第二。

我還是要強調，多元化不是不好，而是要慎重，成功的關鍵，在於一定要在事業上專注。

王道，從改變人的觀念開始

或許多數人都以為，宏碁是從代工起家，後來才開始經營自有品牌，實際上，情況卻恰恰相反。

從環宇、榮泰到宏碁，我都是先做自己的品牌，之後才開始做代工的生意。只是，當時因為規模小、缺乏資源、經驗不足，並不具備足夠的知識與能力打品牌，當然也無法順利走出品牌之路，只有宏碁經過無數的嘗試及努力，才打出品牌。

在宏碁自創品牌的歷程中，從1981年開始，都是先自創新產品，再推到國際打品牌；1984年之後，因大勢所趨，才開始接委託代工的案子，因為後者的規模遠大於前者。

不過，雖然宏碁在全球代工風潮剛興起的時候，因為擁有強勢品牌，又沒有什麼競爭者，幾乎可以說是囊括整個代工市場；後來，其他代工廠商陸續出現，競爭態勢隨之<u>不變</u>。

然而，從王道精神來看，企業競爭不是為了拚個你死我活，而是爭取對世界有多少貢獻。這不是一場零和賽局，而是持續創造新價值的非零和賽局。

所以，求「大」不是企業競爭的唯一選項，在所處的利基具備核心競爭力，照顧相對不大的利益相關者，才是更重要的關鍵。行有餘力，再慢慢擴大到更多的利益相關者。

然而，王道企業也不等於完全沒有霸氣，在面對競爭的過程中，還是必須採取必要手段。只是，霸道能夠做大，唯有王道才能做久。這一點，是許多追求永續的企業，常常面臨的迷思。

己所不欲，勿施於人

爭，是行王道的必須，只是不爭一時，要爭千秋。王道精神是企業經營的主軸，可以體現在全球策略、成長發展、轉型再造、競爭領導、創新創業以及品牌發展等不同面向。

傳統企業管理的要點，在王道企業中也斑斑可見，包括：目標市場、顧客價值主張，避開弱點、強化優勢、聚焦核心能力等。其中的差別，只在於關注的價值不同。

《論語・雍也第六》提到：「夫仁者，己欲立而立人，

己欲達而達人。」身為企業公民,要推己及人,在思考自己如何獲利的同時,也要為別人著想;想自己利益的時候,也替別人的利益著想。

王道企業,其實就是很簡單的一句話:「己所不欲,勿施於人。」

只是,如今的社會,不少企業或許因為過於急功近利,往往忽略了這一點,下場就是「傷敵一千,自損八百」。在企業轉型的過程中,或許也該回頭想想,是否正是因為如此,才導致公司無法永續。

世事如棋局局新,在企業的成長策略上,落子一步錯,沒有及時調整,也許就會滿盤皆輸。

對企業領導人來說,王道是指引思維方向的北極星,唯有把這樣的星光融入企業文化的核心,才能長保璀璨如新。

以差異化做為成長的力量

企業經營與成長都像下棋,每一步都要考慮各個環節相互連貫的眾多可能性;如果能走成活棋,就是進可攻、退可守,愈走路愈寬、連結愈多,才能立於不敗之地。

以品牌發展來說,產品必須具有獨特性,才能掌握通路

中間商的力量。

　　換言之，就是要做到差異化，才不用擔心中間者扭曲，訊息可以正確傳達給消費者；相對的，產品若是缺乏特色，訊息就可能被中間者擋掉，因為他們會遊走在各個不同品牌之間，也就無法傳遞到消費者面前。

　　2014年，道瓊永續指數（DJSI）評選結果公布，宏碁首度獲選為新興市場指數成分股之一；而宏碁的品牌管理，更是在各項評比中表現優異的項目之一。

　　這樣的結果，是宏碁長久以來的努力，也是國際上對宏碁落實永續精神與推廣王道文化的重要肯定。

CHAPTER 2
帶品牌做對的事

小國打品牌,最重要的是產品要有競爭力;
除了價格優勢,更要不斷創新。
同時,再找出有利可圖的市場區隔,
並建立國際行銷能力。
而建立品牌和維繫品牌的力量,也不相同。

第四章

建立品牌定位
五大步驟

建立品牌定位有五大關鍵：
命名、設計識別體系、訂定口號與企業標語、
與形象一致的製作物及公關活動，以及品牌溝通。

　　如果沒有創新做後盾，打品牌必定陷入苦戰，台灣很多企業正是面臨這種遭遇。創造一個品牌，若缺乏創新支持，就意謂著不會有太強的定位，即便長期經營品牌，也只能增加知名度，對於提高價值助益不多。

　　雖然創新常常夾帶風險，但是打品牌一定要有創新做基礎，原因有二：一是為了回應市場需求；二是因為創新常常可以創造價值、有效實現價值，對於企業價值影響至鉅。

　　較好的策略是企業較缺乏創新時，不要積極投入資源增加知名度，應盡量低調。等到真正出現創新之後，再加碼資源提升知名度，做起來才有相乘效果。

▓ 創新的四種模式

　　創新有四種模式：經營模式、產品、行銷服務，以及供應鏈。

　　以經營模式的創新而言，從價值的創造到價值的實現，要做到端對端的有效經營，主要是為了提升企業價值，進而反映到品牌價值。

　　科技產品的創新一般都在創造價值端，同時有助於品牌定位與品牌知名度。

　　行銷服務的創新對品牌價值的定位、知名度有直接成

效，進一步反映到企業價值。

　供應鏈的創新則對實現價值有直接效果，有助降低成本、提高時效，進而創造企業價值、增進品牌價值。

　企業缺乏創新也是一種品牌形象，品牌價值自然不高，很難創造企業價值。

　創新可說是品牌價值最重要的關鍵因素，難就難在企業不可能一直處在創新巔峰，在長期經營的創新消長之間，品牌價值高的企業，可以靠品牌維繫一段時間，讓企業有更多時間翻盤。

品牌價值決定企業可以撐多久

　品牌價值的效益由此可見，能讓企業不會因為一時缺乏創新，使其價值一蹶不振。企業如果一直缺乏創新，本來就應該走上衰敗一途。

　既然如此，品牌價值可以讓企業「撐」多久？有幾個影響因素：第一是競爭環境，競爭愈激烈，支撐的時間就愈短；第二是企業的品牌定位和競爭者的差異化程度，定位愈獨特、差異愈大，可以撐得愈長，因為舊的形象還可以維持一陣子，消費者或許一時不察。

　品牌強可分成兩種，一種是知名度強，一種是定位強。

知名度變化較少，只會慢慢消長，不會瞬間全失。定位也要累積，一時創新不足，難免會有影響，長期缺乏創新，負面效果才會真正反映出來。

同樣的，偶然一次很強的定位，也不足以改變品牌真正的定位。比如說，希臘國家代表隊以黑馬之姿拿下2004年歐洲盃足球賽總冠軍，下次參賽如果沒有繼續維持這樣的好表現，雖然目前知名度提升了，還是不足以提升希臘隊在足球界的定位。

要建立品牌形象，首要還是產品創新。產品的創新，可以透過廣告、事件等方式，用創新方法塑造知名度及定位。行銷創新、服務創新也是創新的工具，例如宏碁兩小時快速維修就是一種服務創新。

■ 建立品牌定位步驟一：命名

為品牌建立創新的定位，有許多步驟。

第一個步驟是命名，命名本身就是設立一個定位。宏碁用Acer，已定位自己是一家國際公司，而不是亞洲的公司。

命名就像小孩子取名算八字，算好八字猶嫌不足，還要賦予它生命、賦予它一定的風格、個性，這時就要思考你希望它有什麼個性，既能有別於競爭者、討消費者喜歡、又符

合自己的條件。之後，就要周而復始、一致的、長期的一直
做，而且要不斷加入新鮮的訊息。

　　這就好像知名歌星鳳飛飛唱過很多首歌，不管唱哪一
首歌，都一定要戴帽子、維持一貫的調調。品牌需要長期不
斷提醒，但要考慮一致性，定期有新東西，且不失原來的風
格、形象。

■ 建立品牌定位步驟二：設計各種識別體系

　　經營企業本來就是兩條路同時進行，一條是創造價值，
一條是控制成本。

　　企業識別體系（CIS）的作用，是讓企業能較有效的創
造價值，同時也提升成本運作的效用。因此，為品牌創造定
位的第二個步驟，是設計各種識別體系。

品牌新思維

命名就像小孩子取名算八字，算好八字猶嫌不足，
還要賦予它生命、賦予它一定的風格、個性，這
時就要思考你希望它有什麼個性，既能有別於競爭
者、討消費者喜歡、又符合自己的條件。

表4-1　Acer的品牌管理

使　　命：打破科技與人的藩籬 　　　　　Breaking the barrier between people and technology 基本信念：創新關懷（Innovative Caring） 品牌價值：I Care Innovation, Caring, Added Value, Reliable, 　　　　　Easy 核心價值：容易（Easy）、可靠（Dependable） 品牌價值主張：創新科技＋關懷主張 主要差異化：易用可靠的創新關懷 標　　語：Empowering People 創新科技：Empowering Technology

▌CI、VI與PI

　　CI（corporate identity，企業識別）是一個企業的識別體系，目的是傳達企業的名稱，以及跟名稱結合在一起的象徵符號（symbol）。象徵符號和名字連在一起，就成為一種商標（trade mark）。

　　這是CI系統最基本的要素，一般都是一個符號加上名字，耐吉就是一個勾勾和NIKE。耐吉「勾勾」的力量非常強，到最後幾乎變成耐吉的識別體系，已經成為一種VI （visual identity，視覺識別）。

　　除了名稱、符號、語言這些基本要素之外，CI還要注意顏色，尤其是標準色，一般都是從美觀、顯著性來考慮。在標準色之外，也有輔助色，例如白色、黑色、灰色、金色、銀色等中性顏色。輔助色和標準色不能衝突，否則訊息會紊亂，標準色和輔助色之外的顏色，都不可以使用。

嚴格規範應用CI

　　CIS會廣泛應用在名片、信封、信紙等企業對外經常使用的溝通工具；更廣泛的應用則常常結合VI，像是PowerPoint、廣告格式等，就要具備VI的概念。

　　應用CI時，必須嚴格規範，例如背景是深色時，應該要反白；如果背景是淡色，就用標準色或黑色。一般而言，在CI的標準距離以內，都不能加上任何東西，要保持空白，CI必須被保護得很標準。

品牌新思維

目前最新的設計潮流，都不用符號商標（symbol mark），而是直接在英文名字做變化、加特色，做為畫龍點睛。

就以宏碁原來的CI為例，英文名字Acer旁邊加了箭頭，等於是名字加上象徵符號。這時就要考慮：箭頭到底放左邊還是右邊？間距相隔多遠？這些細節都必須規範清楚。

雖然如此，很多人使用時，還是有的寬、有的窄，無法標準化，甚至還有人在Acer之後放了一些文字，再加上箭頭。不要小看這些事情，都造成宏碁很大的困擾。

▓ 設計要力求單純

設計CI時，從開始命名就要盡量簡單，讓人容易認知。如果做的是工業產品，設計標誌更要力求單純。

目前最新的設計潮流都不用符號商標（symbol mark），而是直接在英文名字做變化、加特色，做為畫龍點睛，也就是用文字商標（word mark），Acer、BenQ、SONY、BIPA（自創品牌協會）都是很好的例子。

最近我替小孩的公司命名，以「MAVS」為名，MAV是maverick（小牛）的前三個字母、S代表姓施，小孩又屬牛，所以在V上面加上兩個牛角，做為CI的設計變化（圖4-1）。

CI的應用非常廣，車子、服裝、看板、燈箱、廣告等都會用到。一般在反白的時候，都會用標準色當背景，以強化標準色，加深印象。

應用CI時，如果背景面積很大，光靠標誌來區隔，有時會顯得單薄，這時可以在視覺上做一些變化。

例如，Acer的廣告都是用e-window來設計，只能在window裡面放東西，以綠色為主，加上一些輔助色，然後在視窗之外寫上Acer。

E-window就是宏碁的VI，Acer的特殊設計就在這個e上面，e本身又可以延伸成一個VI（將在第八章詳細說明）。BenQ則是一開始就以萃取的蝴蝶元素當成企業VI。

VI、CI必須和其他設計有所差異，否則容易混淆，也需要長期累積；一般而言，VI必須用三年、五年才有效果，CI則用十年，用得更長也會有缺點，尤其當時代已經改變時。

宏碁原有的CI，面對電腦產業從以前的專業、科技，轉

圖4-1　MAVS的CI

為現在較人性化，就顯得太剛硬，因此要改顏色，線條也要更柔和。

顏色、象徵符號都是有形的元素，事實上，CI、VI也會傳達無形的氛圍。企業標語常常就是在支持CI無形的概念，加強消費者的印象，例如宏碁的「關懷科技」（empowering technology）、明基的「享受快樂科技」（enjoyment matters）。

▌品牌稽核

企業跟消費者無時不在溝通，CI、VI的應用無非是為了溝通時有一致的訊息，從公司領導人到員工，從簡單的遞名片到做各種廣告，都是在溝通CI所要傳達的訊息。應用時，除了一致化，還要簡化，做起來不必動腦筋。

只是CI應用實在太廣泛，永遠有想不到的狀況，常常出現原有規範無法涵蓋的情形。此時，企業的品牌部門就必須介入了解，評估是否需要加入新的應用準則。

企業必須有品牌稽核的觀念，看到製作物違反CI應用準則時，要隨時糾正。

宏碁的經驗很值得參考。宏碁的CI應用出問題，常常不是出在內部，而是經銷商或製作廠商，自作聰明替宏碁「改良」製作物，反而弄巧成拙。

　　例如，Acer和箭頭之間的距離規定得很死，也準備很多標準樣品，但是做壓克力的廠商會自己替我們畫CI，大小、距離都和標準不同。

　　宏碁設立一套管理原則，就是讓經銷商設計好，盡量不要出錯；萬一出錯，再重新定準則，提供標準設計稿，才能符合時效，否則明天要上廣告，今天還要送總部管理，必定拖慢速度。

　　像是e-window，經銷商要怎麼設計我們不管，但是必須套上宏碁已經設計好的window。

　　宏碁的CI、VI都有規格書，說明各種規格。原則上是規範使用時要注意的標準，例如規定標誌最小的尺寸是多少，以免字體不夠清晰。在台灣的專業公司、大型企業，幾乎都有專門部門負責處理CIS的標準規格。

▓ 各識別體系需相稱

　　VI、PI（product identity，產品識別）絕對不能和CI衝突，例如不能設計與VI、PI及CI不相稱且應用不便的體系。

　　宏碁從創業就以蜂巢加人頭的設計為標誌，成為企業識別，但是真正有CI系統是在1984年。

　　宏碁是外貿協會第一個推出CIS的樣板，當時還是

Multitech時期，在外貿協會協助下設計完成。

1987年因品牌名稱由Multitech改為Acer，CIS要重新設計，之後才有了觀念發展VI。

宏碁第一個PI概念，則是用「琮」來傳達科技產品與中華文化的結合，琮是故宮博物院裡的古物，設計工程師由琮發現其設計元素，決定用它來貫穿所有的產品。

■ 畫龍點睛的PI

VI和PI的不同在於，VI屬於不限使用在產品的視覺設計，PI則是附屬於產品的視覺設計。我認為，PI常是畫龍點睛的那一點，像是鳳飛飛的帽子、BMW的「兩顆牙齒」。

PI應用到汽車產品，通常有最強烈的效果，流線造形、美洲豹就是積架（Jaguar）的PI。相對而言，歐系汽車比美系汽車更有PI的觀念。

隨著產品演進、市場變化、科技更迭，企業如何找到一個不妨礙未來設計的元素，是一件困難的工作。宏碁的「琮」用了三、五年就無法繼續；但是，BMW的「兩齒」已經用了好幾十年，還是很有現代感。

企業需要的就是這種遠見，即使科技、市場、產品不斷變化，自己的元素儘管小幅更動，卻不失原來的形象。

PI也不僅限定在視覺，產品功能有別於其他同業，也可以算是一種PI。例如，IBM筆記型電腦上的紅點滑鼠，就是一種很特別的PI。

　　在電腦產品裡，顏色當然是一種PI。IBM的ThinkPad用黑色，就有PI的味道；蘋果半透明的電腦，也是PI。宏碁目前推出的筆記型電腦，皆採用皮夾式設計，這個PI未來將要全面貫穿。

　　要特別提醒，電腦的PI若能維持三年就已非常難得，因為科技變化太快，如果沒有想通、PI無法適當在一段時間貫穿不同產品，就是無效的PI，反而會成為設計創意的障礙。

▋ PI 應隨市場需求改變

　　PI之所以需要改變，是因為不符合未來需求，不符合企業或產品因應市場的要求。如果市場要求更有爆發力、流

品牌新思維

設計CI、VI、PI的時候，必須很慎重，因為這些設計蘊含了很多企業的理念。在委託專業人員設計之前，先讓設計者和領導人深入溝通，了解企業經營理念。

線型、更小，就必須考慮改變PI。另一方面，如果設計太老化，會讓人有這家公司已經是過去式的印象，最好的方法是更改設計，感覺又是新的生命，重新注入活力。

設計CI、VI、PI時必須很慎重，因為這些設計蘊含了很多企業的理念。

在委託專業人員設計之前，先讓設計者和領導人深入溝通，了解企業經營理念。設計者要了解產品，以及行銷主管追求的是什麼、未來想法為何，因為設計是為了給未來使用，也要去調查市場對這個品牌的印象是什麼。因此，設計識別系統有個先決條件，即是產品的定位要夠清楚。

宏碁的CI，以前強調科技，現在則強調人文、感性、綠色。現在的主軸是簡單、輕鬆、可靠，所以在設計時，任何複雜的線條都被否決。VI、CI、PI支援的是企業的理念與形象，因此設計也必須和企業形象若合符節。

▋ 更改CI的成功關鍵

設計識別系統是為了讓成本有效運作，更改系統則是為了未來價值創造。CI的改變，隱含企業經營策略的轉變，以及未來要追求的目標。

有不少企業在更改CIS後花大錢做廣告，這是錯誤的做

法。初期或許可以透過一些公關、廣告來交代，交代完了，還是可以用原來的預算、原來的做法，產生良好的效果，不值得花錢單獨為新的標誌做廣告。

我認為用媒體報導、公關的效果最好，你可以清楚說明為什麼改變、未來訴求是什麼，還可以透過員工、經銷商、專家來溝通，研究CI的專家可能有興趣了解這種改變。

更改CI有幾個成功關鍵。

第一是不花冤枉錢。但可隨企業規模變大，多投入經費做設計。一般而言，中型企業花一百萬元新台幣設計CI，算是一筆大數目。宏碁、明基找專業設計公司設計CI，經費達一百萬美元，這是規模的問題。

80年代，台灣企業多半是找廣告公司設計，現在則由國外學有專長或很有經驗的CI專業設計者來做。

第二是負責人不能有太強烈的喜好。他可以有原則，可以暢談他的理念，但是最後不能憑其所好做選擇。因為CI不是給他看的，光是他孤芳自賞有什麼用？

小企業的CI當然可以自己做決定，但是大企業的CI還是必須由多數人做決定。這些人要具代表性，找不同性別、階層的人來選，因為客戶層就是這麼廣泛。

第三是管理、堅持。要制定應用CI的準則，並加強管理。執行時若有任何偏差，一定要去稽查、更正。

　　以宏碁的CI設計為例，專業設計公司設計出幾百款樣式後，我們先剔除不符合原則、太複雜的圖案，剩下幾款大家都可以接受的設計；再和設計師溝通修改，做內部「民調」，挑出三款設計，選擇全球三大城市做焦點團體調查，最後綜合消費者及內部員工的意見選出一款，並做細部調整定案。

　　所以我常說，Acer這四個字母，每一個字都花了很多錢（我將在第八章詳談這段過程）。

■ 推出新 CI 的時機

　　新CI推出的時機是一門學問，涉及到新舊產品的交替。

　　市場上同時存在新、舊標誌的產品，會讓消費者誤以為兩種產品有差別，所以要等到最適當的時間才能換標誌，比如說旺季不能換；此外，也要有至少半年的準備時間，推出的產品全部要掛上新標誌，舊標誌產品甚至得降價出售。

　　CI的變更也有大變與小變之分。

　　到目前為止，宏碁每一代的CI都是做大幅度改變。日本很多品牌都是小幅修改，消費者可能不察，也不一定知道。之所以小幅變化，是面對時空環境或流行趨勢的變遷，必須小幅修正，例如原來的CI還可以使用，只要由剛性修改為較

軟性即可。

更改 CI 要有倍數的值得

不要忘記，更改 CI 是有成本的，成本不只包含設計費用，產品重新定位也是一種成本。

一定是認為值得才會去改變，所謂的「值得」絕對不是值 30％、50％而已，而是要倍數的值得才能改。如果不是倍數值得，花這些功夫、金錢都划不來。

倍數的值得是指營業額還在高度成長，更改 CI 是為了增加營業額、利潤，你一定要期待還有高度成長的空間，如果所在的產業已無成長空間，為什麼要改呢？

至於公司虧損時，能不能更改 CI？這時候更改 CI，其實是給大家信心。有時更改 CI 是為了配合組織重整或策略調整，這時更改 CI 是強烈的訊息，有其效果，讓消費者淡忘不好的印象。

台灣企業大幅更改 CI 成功的案例首推華航，他們將國旗改為梅花，是很具代表性的設計。豐田汽車的營業額很大，但是原來的 CI 不夠強烈，也改過一次。宏碁是改變 CI 的成功案例，明基則是新創 CI 的成功案例。

成功、失敗的分野，和形象、知名度有關，因為 CI 最主

要的功能是加強定位與知名度，最後還是得回歸品牌價值。

品牌價值當然不能只靠CI，但CI是定位與知名度的重要工具，可以加強形象，提高知名度。好的CI還可以提高品牌價值，不好的CI絕對會影響品牌價值。CI做得好，應用起來更可以降低成本。

總而言之，CI成功關鍵是設計有差異化、名字簡潔，長期運作一致，不要自我混淆。當然，企業經營失敗，原因可能不是出在CI；很多企業之所以成功，也不是歸功於CI，不能用CI成功與否來論斷企業的成敗。

■ 建立品牌定位步驟三：口號與企業標語

第三個步驟是想出響亮的標語或口號。品牌形象是定位與知名度的統稱，口號往往是在協助定位，傳達企業或產品的理念，企業標語（tag line）雖有不同風格，目的還是協助定位。

以我的經驗觀察，除非花大錢打廣告，像是耐吉的「Just do it」，大部分的企業標語都是講者有心、聽者無意，只有行家、研究行銷的人比較會注意、較有感受，普通消費者多半沒有感覺，只是耳濡目染、聽久了之後，多多少少會對這個品牌有感覺。

　　既然已經花錢打廣告，除了讓消費者記住品牌名稱，能夠順便記住品牌的理念也不是壞事。只是要注意，常常更換企業標語不利於塑造品牌形象。

　　例如，宏碁對自己的企業標語不太滿意，三、五年就更換一次，達不到想要的效果。企業標語的使用期最好有五到十年，使用不到五年，沒有人會記住，使用超過五年，要不要換，視市場流行的情況而定。如果時空改變了，就一定要更換。

■ 站在消費者立場想企業標語

　　想出一句好口號很重要，產品的促銷口號使用時間較短，但是牽涉到品牌形象的口號必須長期使用。產品的口號必須和產品有關聯，對促銷才有幫忙，品牌形象的口號則要反映品牌風格。

　　想口號時要思考很多問題，語言就是其中之一。

> **品牌新思維**
>
> 大部分的企業標語都是講者有心、聽者無意，只有行家、研究行銷的人比較會去注意、較有感受，普通消費者多半沒有感覺。

除了類似「Just do it」這樣簡單的企業標語可以一體適用之外，其他的口號幾乎都要有當地化的語言版本。

在拉丁語系國家，可以直接使用英文，不必翻譯；但是在華文國家，就必須翻譯，只是不一定要完全照英文翻譯。最好能用淺顯的英文，因為你無法控制翻譯成當地語言後會變成什麼樣子。

口號不能模仿同一類產品其他競爭者，不同類的產品口號雖然可以學習，但是太有名的口號也不能拿來照抄，況且，不同類型產品的廣告詞也可能派不上用場。學別人的企業標語就是一窩蜂，顯得不夠創新，會影響到定位。

綜觀台灣資訊企業的口號，我認為華碩的「華碩品質，堅若磐石」十分貼切。

宏碁一直在想破解之道，但很不容易。宏碁的「不斷創新，因為用心」也不錯，英文的口號「empowering people」更好，但很難翻譯成中文。宏碁曾經想過用「we hear you」，不過這個口號不夠積極，因為考慮的是自己，不是消費者的感受。

想企業標語應該要站在消費者立場，想他需要什麼，而不是我要給他什麼。

我後來才發現，台積電使用的英文口號是「empowering innovation」，和宏碁有異曲同工之妙。宏碁的顧客是最終消

費者，台積電的客戶是企業，它為企業實現創新，宏碁則為個人實現創新。Empowering的概念格調較高，所以使用期間也較久。

韓國大企業的口號，格局都很大，訴求為世界服務，例如三星用的是「digital all」。

好口號的必備條件

好的品牌口號必須具備幾個條件，首先要和品牌定位有關聯。

第二，涵義要清楚，用很少的字，傳達清楚的概念。

第三，要好記，這非常困難。很多口號都是看過即忘，我認為判斷口號是否成功的標準，是消費者看到廣告時，當下對那個品牌是否有正面的印象。當然，企業的廣告量要夠大，並透過口耳相傳，口號才會產生效益。

第四，企圖心不要太強，沒有口號也不至於做不成生

> **品牌新思維**
>
> 好的品牌口號必須具備幾個條件，首先要和品牌定位有關聯；第二，涵義要清楚；第三，要好記；第四，企圖心不要太強。

意，萬一想出負面口號，格調不對，還會影響品牌定位，得不償失。沒把握想出好口號，不如沒有。

　　要想出具有創新意涵的口號，的確很不容易。大同公司的「打電話服務就來」，是一種服務創新；大同寶寶也是一種溝通工具，對於知名度很有幫助。生生皮鞋的「請大家告訴大家」也是經典，接下來的模仿之作，只有每下愈況。

■ 建立品牌定位步驟四：與形象一致的製作物及公關活動

　　第四個步驟是推出與形象一致的製作物與公關活動。說明書、海報、促銷資料、廣告、公關活動、贊助活動等等，都要和品牌定位一致，這也是宏碁不去贊助選美活動，而選擇支持雲門舞集全球巡迴公演的道理。

　　宏碁投資樂彩公司，一方面用不同公司名義，還規定必須訴求公益。贊助賽車活動，是側重速度、科技、精準，務期符合我們原本的形象。舉辦多時的龍騰科技論文獎，現在要向下延伸到中學數位創作獎，也是顧及一致的形象與定位。

　　企業在贊助活動時，要考慮幾點：一、切記要選擇定位相符的活動；二、選擇少數有效的活動，不能來者不拒。要選擇策略性的項目，贊助期至少要五年，三年都太短，效果

不大。

至於公關活動，通常對B to B的形象最有幫助，要變成B to C的公關形象非常不容易。

宏碁曾發生過「318事件」，全台灣都知道宏碁的IC產品被偷，這對我們的形象到底是正是負？在這個事件中，宏碁出現一個危機，損失很多錢，但事件也有正面影響，宏碁不斷強調人性本善的管理不變，讓大家印象深刻，最後也把IC找回來了。

宏碁內部算過，我們因此事件賺了廣告費，因為對消費者做廣告很花錢，我們上了社會版，也是對消費者做正面廣告，企業要出現在消費者版面通常不容易。

■ 建立品牌定位步驟五：品牌溝通

想出好名字、好的企業標語、好的識別系統之後，就進入了創新定位的第五個步驟，也就是溝通。

品牌新思維

品牌必須持續、不中斷的溝通，溝通要有效，必須和理念、風格一致，還要運用創意溝通，使得溝通能在消費者心中轉變成形象。

　　品牌必須持續、不中斷的溝通，溝通要有效，必須和理念、風格一致，還要運用創意溝通，使得溝通能在消費者心中轉變成形象。形象是從一個個印象累積而來，因此，有效的溝通必須有可看性，要讓人印象深刻，也就是往後的行銷活動、事件等都要不斷傳達這個形象。

　　印象有兩種，一種是利益相關者（內圈，包括競爭者）的印象，一種是非利益相關者（外圈）的印象。

■ 敏感處理主客觀印象

　　一般而言，利益相關者的印象比較主觀，非利益相關者的印象比較客觀。主觀重要，客觀更重要，因為客觀印象比較真實，但是主觀印象會影響未來的執行。

　　當新聞媒體出現稱讚宏碁競爭者的報導，以及有批評宏碁的新聞時，我們內部的人都會哇哇叫，這是因為內圈的人很敏感；但是對於外圈的人，可能影響不大。

　　很多事情常常是自己過度反應，比如說，宏碁做某一件事情，新聞反應很好，叫好不一定叫座，對消費者的印象還沒有產生影響，競爭者會先有反應。

　　所以，必須很準確的分清主觀與客觀的印象，否則容易被誤導，做出錯誤的對策。我的原則是，注意所有正負面

訊息，做為以後溝通的參考，先不反應；如果是完全不符事實，我會要求更正錯誤之處，至於批評論點則不加理會。

所謂的溝通一致化，是如CI、品質、服務、廣告的一致等等，廣告的訊息、格調、廣告詞也不能互相矛盾。公關當然也不例外，發言人在處理事情時誠信的形象，有利於未來溝通的有效性。

處理這類事情，需要高度敏感，我自信，在台灣企業負責人裡，我的敏感度相當高。我的敏感度高、也很全面，比如說，我每天看到很多宏碁的訊息，在我的心裡皆有所見解及判斷。

這個判斷有時不會馬上有行動，而是一直累積，直到最後才歸納出訊息常常誤導的原因。我如果要求馬上改正，可能茲事體大，只能提醒他們要防範再犯錯。處理這些事情需要純熟的技巧，因為敏感度不要成本，但是處理就會產生成本，而且要確認其效益。

溝通品牌時，順序是由內而外。先內再外，主因是內部

品牌新思維

溝通品牌時，順序是由內而外。先內再外，主因是內部的有效性較高，比較容易傳達。員工也是溝通的媒介，可以對外傳達品牌的信心。

的有效性較高，比較容易傳達。員工也是溝通的媒介，可以對外傳達品牌的信心，因此，做品牌溝通由內開始。

所以我不喜歡以公關（public relation）為部門名稱，而以企業溝通（corporate communication）稱之，企業溝通是全員品牌管理的一環，也要從內部開始做全面溝通。

■ 溝通的三大要訣

目前的態勢是內外已經合而為一，因為借重外面的媒體，將一般社會大眾也想了解的信息，同時跟內部的員工溝通，是最有效的途徑。

當然，很多敏感的訊息，例如重要的人事布達、重大訊息，還是應該先對內部員工溝通。對內溝通比較有足夠的時間說明背後的前因後果，對外溝通通常沒有太多時間說清楚講明白。

溝通時要抓住重點，避免訊息有偏差，另一方面是正確傳遞訊息。

比如說，我們透過媒體傳達一則訊息，消費者看到以後會問：「真的嗎？」如果他問員工，員工回答：「我不知道。」這就有問題。員工必須知道確切的訊息，才不會加深消費者疑慮。

　　如果外面的報導說公司有危機，員工若能充分了解，也能穩住信心，還可以間接扭轉外面的懷疑。

　　溝通時最大的原則是誠信，有時不得不避重就輕，但是訊息還是要清晰；只是，如果員工或外面的人把這則訊息看得很重，就不能含糊其詞，應該好好面對。當大家還不是很了解時，如果把一些枝枝節節的東西講得太詳細，反而模糊焦點。

　　真正的問題一定要清清楚楚、簡單而充分的說清楚，在溝通時，最重要的就是根據事實，否則只會愈描愈黑。不造假、不說謊是基本原則，尤其是在內部溝通時造假，特別容易被拆穿。簡而言之，就是三個要訣：根據事實、化繁為簡、抓住重點信息。

▋危機時的溝通

　　經營企業難免遇到危機，這時溝通更形重要。最基本的態度是即時面對現實，負責人要全盤掌握，甚至要自己跳出來溝通，溝通時一定要符合企業風格。最重要的是誠信，願意溝通、負責，也要有行動方案。

　　要讓所有受害者都滿意，而且馬上扭正所有負面形象，並不是一件容易的事，但是經過有效處理、溝通之後，有時

危機不但消除，還有意想不到的正面效果。

企業千萬不能妄想利用危機，因為危機避之唯恐不及。危機是被「將軍」了，在被將軍時，你要思考如何解除，有機會的話還可以反將軍。先求解除危機，有機會反將軍當然最理想。

一般而言，如果把危機處理好了，都有機會扳回局勢，危機處理能力也能展現企業的價值、品牌價值。

宏碁曾面對經營危機，我們大膽面對、謹慎處理，後來都變成正面的影響。例如，品牌業務跟代工業務的衝突原本是一個危機，但是毅然把業務分開後，就讓我們想得更徹底，局勢也更好。

▍內部溝通與外部溝通

對外溝通其實也有對內溝通的功能，但如果內部的人不認同對外溝通的信息，會造成反效果。宏碁從來沒有這種問題，員工唯一的抱怨，是有些事情他們應該先知道，外面卻提前得知。

至於對外的溝通，凡事無不在溝通，不只是公關、廣告、事件，發言人的言行、服務與產品、經銷體系、合作對象都是在溝通品牌；實際上，連利益相關者（包括銀行、供

應商及競爭者）都在溝通品牌。

　　競爭者對品牌也有影響，比如說他扭曲你，你揭露事實就對他不利；你有瑕疵被他攻擊，對你品牌的溝通也有不利影響。

溝通也需要稽核

　　如果經銷商對外說你的公司烏煙瘴氣，品牌必定受影響，而且他們是權威，講的話可信度比較高，必須加強管理，這是對內溝通的延伸。所以，企業要有監督系統，如果經銷體系做得不理想，就要介入稽核。

　　我舉個釜底抽薪的例子，就是宏碁資訊廣場。宏碁資訊廣場雖然不是宏碁的公司，但是賣宏碁產品，替宏碁做服務，更重要的是掛宏碁的牌子、用宏碁的標誌。

　　有些宏碁資訊廣場賣產品還好，卻不情願做服務，這當然就傷害到宏碁。我們沒辦法管理，最後只好決定全面換名字，於是產生了Eloha。Eloha雖然沒有成功，卻達成了終結宏碁資訊廣場的任務。

　　現在的經銷商都用自己的名字，掛宏碁專賣店的招牌。儘管已經做到不使用宏碁的名字，還是很難和宏碁劃清界線，我們只好設自己的服務站，有問題自己來服務。我們還

有一個方法管理，就是給他們的折扣先扣掉服務費，有做服務再補貼。

▪ 創新品牌溝通

宏碁目前推出的到府服務數位宅修也是一種品牌溝通的方法，跟創新有關。

提出數位宅修有幾個客觀的因素：第一，消費者不管使用什麼品牌的電腦，幾乎都不滿意，桌上型電腦的滿意度尤其更低。不滿意的來源，真正跟電腦有關的不到30％，有70％是對應用軟體、網路不滿意，最主要的問題是中毒。這些不滿意會投射到原廠、經銷商，也投射到第三者（朋友或其他經銷商）。

個人電腦公司的形象很難一致化，最好的品牌也有不理想的服務形象，這也是電腦業亂成一團的原因。

市場分布是一半品牌、一半白牌（DIY），品質常不是消費者購買的決定因素，因為大部分產品的差異不大，價格成為主要決定因素，品牌商對其產品的服務保證因為有70％的問題非出自產品本身，與白牌的差異性因此打了折扣。

第二，數位家庭即將出現，數位家庭有很多固定式的家電，如果不能到府服務，消費者會失去信心。

　　我一再強調，宏碁已經是一家行銷服務公司，如果要真正做到差異化，除了追求產品創意之外，最有可能的還是做服務的差異化。而在電腦產品中，服務對於品牌形象的分量愈來愈重，再加上我們要進入數位家庭產業，如果不建立這個服務網絡，無法有效掌握品牌形象。

　　2004年7月1日宏碁推出數位宅修，還沒大打廣告，業務已經應接不暇。這個業務是來自我主導的關懷工程。關懷工程主要有幾個部分，一部分是關懷科技，使產品更容易使用、更可靠；另一部分是關懷服務，如數位宅修。

為進入數位家庭事業建立基礎

　　數位宅修是一個獨立事業，服務也不限宏碁品牌。我們價格透明，檢修費用兩百元，需要進一步處理的問題，全部價目都有清楚表列。工程師遍及少數偏遠地區，金門、馬祖地區都有。

　　我們利用現有經銷網現成的工程師，經過訓練、考試、認證，發執照，然後簽約。我們也規範他們的行為，像是要每天換襪子、到客戶家中不能隨便走動、除非被問不能主動推銷。

　　所有網站接到消費者的需求訂單之後，三十分鐘內一定

回電，約好時間派工程師過去，所有維修紀錄、客戶滿意度都立即追蹤。

　　這可以算是宏碁品牌的一種擴張，我們利用宏碁的品牌價值來進行這個事業，到最後，真正經營這個事業可能只增加兩、三個人，所以成本並未增加太多。

　　當然也不會賺很多錢，這樣做是提升品牌形象，替宏碁利益相關者創造利潤，順便賺點小錢。長期而言，對於硬體產品的銷售也會有幫助。最後，這個事業是為宏碁未來進入數位家庭事業，建立良好基礎，也直接保護了電腦公司進入數位家電的罩門。

　　因為，以電腦業和家電業在數位家庭事業的競爭中，在科技、成本、營運效率方面，電腦公司會是贏家；但是服務方面，家電公司有優勢。宏碁這項服務，是未雨綢繆，先改善弱點，再強力投入競爭。

第五章

品牌與市場

市場愈大，品牌效益也愈大。
從市場占有率看，相對大非常重要；
品牌一定要在所屬的區隔市場中，
占有相對大的地位，
才有價值。

市場區隔相似的產品，市場愈大，品牌效益愈高，因為最容易複製。品牌要複製到不同市場，要靠國際化、當地化的管理；要複製到不同產品，常需一些轉換。

轉換則和想要擴張的事業類型有關，可分為兩種，一種是新產品區隔，一種是新客戶區隔；客戶則因國家、使用場合、年齡層、性別、收入等有不同區隔。

例如，豐田進入高階汽車市場時，不用原有品牌，而是重新打造Lexus品牌。因為原有的品牌定位借重到高階產品效益不高，兩者客戶不同、產品定位不同，既要訴求高收入的客戶層，使用原有的品牌即無法跨越。

原品牌雖然無法跨進高階市場，但豐田的即時供貨系統（just in time, JIT）很有名、管理很有績效、獲利不錯、品質有口皆碑，這部分特質則可以借重。豐田原來的品牌對新目標市場客戶的定位，非但無法借用，甚至還要放棄，Lexus等於是用到豐田的企業形象，而沒有用到品牌形象。

到新市場打品牌

B to C品牌如要複製到不同市場，在類似的市場區隔與類似產品區隔複製比較有效。如果碰到文化、品牌定位，複製時的品牌效益就會出現問題，企業要有能力管理不同文

化、不同產品區隔的道理就在於此。

　　因為產品區隔不同，便會有不同的訴求點，原來的品牌形象不一定能夠移植，不能理所當然認為市場會愈做愈大。

　　綜合而言，市場愈大，品牌效益也愈大。品牌效益雖然無法百分之百完全借用，但可以做必要的轉換，仍然比完全沒有品牌有效，除非原來形象太強、知名度太高，又不適合轉換。不能轉換又硬要轉換，會產生不利的影響。

　　豐田汽車若真的用原有品牌推出高價車，就算叫Toyota Top-Line，效果也不會比Lexus好。

　　即使是原本強勢的品牌，進入不同文化的市場，也免不了一番轉換，不能完全複製。

　　可口可樂進入中國大陸市場，還是要重新跟大陸當地品牌競爭。除了可口可樂的品牌，另外使用芬達、雪碧等不同品牌，以滿足不同飲料的偏好者，這些次品牌除了做新客戶的區隔，仍然可藉可口可樂的品牌形象提攜，而在做生意、

品牌新思維

市場愈大，品牌效益也愈大。品牌效益雖然無法百分之百完全借用，但可以做必要的轉換，仍然比完全沒有品牌有效，除非是原來形象太強、知名度太高，但又不適合轉換。

配銷上方便，也可以借助可口可樂的促銷經費與管理知識。

品牌從小市場打到大市場很費力，從大市場打到小市場較占便宜，原因有幾個：第一，產品已有經濟規模，較具競爭力；第二，可以借重品牌；第三，最重要的是，有效的品牌行銷，無論是費用或方法，都具有國際水準。

可口可樂的廣告水準非常高，沒有大市場的預算，根本無法有高水準、印象深刻的宣傳物。同樣投資一塊錢的廣告，它留下的印象比較深；也因為它原本在大市場已經花了錢做出創意，打到新市場時分攤了製作費用，塑造品牌形象的成本一定比小的品牌低。

因此，要到新市場打品牌，有大市場背景的產品，當然比來自小市場的產品有較佳的機會成功。就產品看，大市場品牌有規模，較具競爭力，塑造形象較快，可以透過公關講很多故事，塑造形象成本也較低，有效性較高。

國際保險公司來台灣就是一個很明顯的例子。

AIG來到台灣，重新塑造南山人壽品牌，對產品的了解比本地公司好，因此給人的形象比較專業，相較之下，它的公司團保客戶就比本地公司多，而本地公司靠業務雄兵到鄉下去耕耘，彼此客戶群不同。

南山到台灣發揮了品牌優勢，也有形象優勢，產品配合企業團體的需要，也比較有變化及深度。

絕對大 vs. 相對大

所謂的大市場，有絕對大與相對大的差別。品牌有客戶面與產品面的差異，客戶面包含文化、年齡階層、所得階層、性別等不同層面。在同樣的產品區隔與客戶層面裡，相對市占率高，就是相對大。

例如，LV的皮件知名度很高，但是消費群有限，是「相對大」。相較於大企業，LV營業規模並不大，只是在那個市場區隔裡它相對大。當然，它的品牌價值是來自全球，不是來自某一個市場。

我們可以看到，在一些小市場會有某些當地的品牌，屬於「相對大」，像統一、聲寶、東元，在台灣相對大，在全球相對小。品牌如要產生效果，相對比絕對有用；相對大比較有效，較有機會創造利潤。

例如，宏碁品牌在全球是「絕對」不小，但「相對」小，尤其在美國相對更小，所以很難生存。宏碁在台灣是相

> **品牌新思維**
>
> 所謂的大市場，有絕對大與相對大的差別。在同樣的產品區隔與客戶層面裡，相對市占率高，就是相對大。

對較大，跟國內競爭者比，在國外市場也是絕對大，但是跟國際品牌比起來，就是相對小。宏碁現在在歐洲有利可圖，是因為在歐洲我們相對大。

從市場占有率來看，相對大非常重要，品牌一定要在所屬區隔市場裡相對大，才有價值。此即意謂要寡占，美國的飲料市場就是可口可樂跟百事可樂兩家寡占，如果市場是由五家、十家分割，大家的品牌效益都會打折。

因此，打小市場的品牌策略就是要把自己變成相對大的品牌，要在介入的市場裡面躋身相對大。相對小的品牌是無效的品牌，「相對中」的品牌在獲利邊緣，相對大就十分有利可圖。

■ 借重本地市場拓展更大市場

回到品牌價值公式，相對大或小，相當於品牌定位。品牌價值等於定位乘以知名度，多一個國家市場，是增加知名度，但是乘以相對小的品牌定位後，並沒有得分。所以，一定要有相對大的市場，不斷累加起來才會得分。

相對中的品牌雖然沒有得分，但對絕對大小有幫忙。所以絕對大小間接幫忙相對大小，幫忙的是產品規模、營運知識及營運成本。

　　但是，營運成本經常受文化因素影響，有時無法貫穿到不同市場，所以等於也打了折，例如大部分產品的廣告都有文化限制，除非像可口可樂，做的廣告沒有文化限制，就沒有打折問題。

　　品牌要拓展市場，首先還是要借重本地市場，先在本地市場站穩，如果是創新的產品，當然有機會一下子就變得相對大。因為資源總是有限的，在發展過程中，要盡量借重同質市場，就是客戶面、產品面較同質的市場。

　　在這其中，要有效塑造形象，還是要靠產品創新，找到有效的通路，用公關、廣告做溝通。這些工作並非一蹴可幾，得一步步按部就班來。

　　如果本地市場太小，打國際品牌絕對有很大的困難，但也不能因此氣餒。市場小，可以視為利基的觀念，如何找到利基，在特定的產品或客戶面取得相對大。你的相對大可能還是很小，但是有效，可以產生有效的品牌價值。

品牌新思維

從市場占有率來看，相對大非常重要，品牌一定要在所屬的區隔市場裡相對大，才有價值。因此，打小市場的品牌策略就是要把自己變成相對大的品牌，要在介入的市場裡面躋身相對大。

▓ 出國打品牌

　　台灣品牌要到國外打品牌，一開始就要懂得運用品牌價值公式，要考慮定位、形象，盡量以差異化的產品來打仗，因為在國際上，我們相對小，相對小的方法就是要有利基、有差異化。

　　台灣品牌若想行銷全球，要具備幾個優勢：一、產品優勢，我們現在最容易做到的優勢是價格低；第二是品質，這是最起碼的要求；第三是創新。

　　這三個優勢是一層高過一層，以現在的標準看來，價格、品質這兩個層次已經是競爭之必要，若缺少這兩者，產品幾乎注定失敗。

　　創新是品牌的價值，如果能創新，就能塑造有形或無形的價值。

　　有形的價值是指理性的部分，例如產品功能更多，價格高一點也可以創造價值；無形的價值則是感性的部分，討人喜愛，消費者願意付錢購買。

　　另一方面，價格的競爭力，有時來自於創新，因為創新，所以即便是同樣功能的東西，但品質更高、價格更低，這也是創新。

　　到國外打品牌，本來就有很多先天障礙，資源不夠、經

驗不足、條件不佳等，這是不爭的事實。就像窮小子要出頭天，該怎麼辦？只好多讀書，比別人更拚命、更動腦筋，這是必經的過程，沒有特效藥。

但是窮小子想出人頭地，還是有幾個要領，比如說，不能不擇手段、破壞形象，否則會阻礙未來的發展。

形象是首要條件

要到國外打品牌，首要還是形象，在建立品牌的過程中，不能烙印上品質低、價格低廉的形象，Made in Taiwan、Made in China過去都難逃這種惡名。

目前我們在國際上正面臨兩個難題。

第一，不是品質差，而是品質參差不齊。這方面，日本幾十年前已經制定「日本產業標準」（Japan Industry Standard, JIS），規定日本企業製作的產品有一致的水準。加拿大的冰酒因有信用不佳的出口商參與，目前也有品質參差不齊的疑

品牌新思維

台灣品牌若想行銷全球，要具備幾個優勢：一、產品優勢，我們現在最容易做到的優勢是價格低；第二是品質，品質是最起碼的要求；第三是創新。

慮，正在設法設定控制品質的標準。

第二，售後服務實在很難做，因為我們國際化的能力較差。宏碁在台灣要透過經銷商售後服務都很難管理，何況是遙遠的海外？

因此，我們應該雙管齊下，首先，不好的產品不要任意外銷，影響國家、企業的形象；其次，除非是不需要售後服務的產品，要進入一個國家，如果沒有起碼的售後服務、通路部署，恐怕都是得不償失。

■ 自己掌握行銷

做品牌最重要的是自己掌握行銷，產品賣得再好，如果行銷不是自己控制，會出現若干問題。

第一，品牌形象維護問題，順境時經銷商說是它的功勞，碰到問題時責任全推給品牌商。

第二，東西好賣，通路替你賣；東西不好賣，它可能見利思遷，轉賣別人的產品。

品牌效益本來就要有連續性，如果產品在通路消失，品牌便無法有效延續。因此，如果不是自己掌握行銷、直接跟消費者溝通，只是透過中間的B鋪貨、配合，容易產生漏洞。

行銷是引導市場的拉力，通路是替你推動，我們稱通路

為管道（pipeline），管道要能暢通，需要有效的管理，才能貨暢其流。

供應商的產品就像是管道裡的水，促使消費者開你的水龍頭取水，必須透過行銷的手段，不能只靠通路替你去推、去送貨，你自己要很積極去拉，這就是行銷裡的「推拉理論」（push & pull）。

萬一資源有限，還是要找代理人替你做行銷。像宏碁早期自己只能做 B to B 的行銷，沒有能力做 B to C 行銷，委託經銷商替我們做廣告，我們則管制廣告的品質、形象，補貼一半的費用。總而言之，你還是可以借重別人，但是主導權一定要在自己手上。

如果用心留意，你會發現絕大多數的大品牌都來自於大國，市場大小對建立品牌的影響由此可見一斑。或許有人會反駁，北歐小國有不少國際知名的大品牌，如諾基亞、易利信、宜家家居等等，都有極高的品牌價值。

品牌新思維

到國外打品牌，本來就有很多先天障礙，資源不夠、經驗不足、條件不佳等，這是不爭的事實。只好多讀書，比別人更拚命、更動腦筋，這是必經的過程，沒有特效藥。

■ 創新可助一臂之力

仔細深入剖析，北歐小國會出現大品牌，有兩個因素：一是市場腹地大，一是產品創新。北歐國家雖小，但是與泛歐市場同質性高；諾基亞因為在歐洲，而歐洲率先使用GSM，在電信業標準領先，諾基亞搭上了順風車。

如果從創新層次來看，北歐國家一直有創新的形象，品味很高；產品設計很領先，不僅是流行的領先，設計概念簡潔也引領時尚。

丹麥的音響非常出名，1980年代易利信設計的電腦極為特出，只是很貴，但是看了就會喜歡，差異化極高。

北歐國家的優勢，是形象、定位、設計能力都非常好，再加上產品創新，且能有效掌握泛歐大市場。

我一直強調，打品牌知名度時，好的創新形象往往使得上力氣，因為創造流行，打知名度的成本較低，並且在相似的市場打知名度也比較快。事實上，要創造有效的知名度，還是要在市場上真正運作，否則光靠好形象，知名度也有限。

例如，諾基亞在台灣打響知名度，不能單靠它在歐洲的名氣，它的產品必須進入台灣市場，要讓鄉下歐巴桑都知道它，要不時做廣告提醒，才能真正產生知名度。

宜家家居的產品設計強，商業操作也頗具創意。它有自

己的管道通路，這是諾基亞欠缺的優勢。諾基亞靠的是產品與形象，它的通路不可靠，會賣競爭者的產品；宜家自己掌握通路，而且是一次購足服務，直接面對消費者，因此，競爭者不只和宜家競爭產品，還要和它競爭販賣點。

北歐品牌要打歐洲以外的市場，比其他小國容易。首先他們已經有經濟規模，立於不敗之地；其次，他們的產品領先，比美國、亞洲的產品有過之而無不及。

諾基亞初到亞洲推廣GSM手機，如入無人之境，連一個本地區競爭者也沒有，因為那時日本廠商都忙著做PHS，韓國三星做CDMA，諾基亞只要跟美國摩托羅拉及瑞典易利信競爭，當然勢如破竹。

▮ 感性 vs. 理性

北歐國家的產品，通常都有很高的感性成分，回到我之

> **品牌新思維**
>
> 為什麼設計較不感性且無差異化的各品牌個人電腦，會打敗感性十足的蘋果電腦呢？從感性層面來說，蘋果一直領先個人電腦；但是從理性思考，買蘋果電腦會遭到「懲罰」，就是和其他產品不相容。

前所說的,設計強的產品通常比較感性,定位也比較高。但是,感性的產品還要有理性成分,兩者要同時兼顧。

感性、理性兩種元素也有自己的分數,互相加成,會有一加一大於二的效果。如果類似產品大多是理性設計時,感性的產品往往會較突出,因為物以稀為貴,也就是說,突出之處不在於它的價值高,而在於它很稀少。

話說回來,為什麼設計較不感性且無差異化的各品牌個人電腦,會打敗感性十足的蘋果電腦呢?從感性層面來說,蘋果一直領先個人電腦;但是從理性思考,買蘋果電腦會遭到「懲罰」,就是和其他產品不相容。因此,雖然也會有一群人買感性的蘋果電腦,大多數人還是不得不選擇理性的個人電腦。

如果選擇感性所要付出的代價太高,消費者也只有接受理性的產品,因為價格是理性的決定,同樣的東西、功能變多、又便宜,恐怕不得不買。感性產品多半是在消費品市場打敗理性產品,如服飾,因為做了感性決策後,就算後悔也負擔得起。

▓ 小國的品牌戰略

小國打品牌的策略,最重要的還是產品有競爭力,除了

價格具優勢，還要不斷創新。

其次，要找出有利可圖的區隔市場，因為小國品牌不靠利潤不可行，一定要有獲利的觀念，否則這場仗打不下去。

再來就是建立國際行銷的能力，因為要獲利，一是靠創造價值的產品，一是靠實現價值，國際行銷能力就是實現價值。如果能力有限，只能著眼於小市場。

走進中國大陸

台灣品牌先天條件不足，若要全面國際化，第一步就要走進中國大陸，先掌握好大陸市場的腹地，猶如歐洲小國的品牌一定要以泛歐為腹地。

資訊產品品牌中，個人電腦的品牌是主流，而周邊產品品牌是非主流，成功的主流產品品牌可順便賣非主流產品，但非主流產品的品牌，要賣主流產品就不容易。

一個強勢主流產品的品牌，能同時帶動同一國家的非主流產品。

小國家的品牌在打世界級品牌戰爭時，真想要贏，就非得要在主流產品及主流市場打勝仗，才算真正贏。

這是一條漫長的路，最初可以在非主流產品或市場裡占有一席之地，而且一定要獲利，否則沒有資源繼續打仗。

▌ 行銷國家品牌

　　我常常說，國家也是一個品牌，也需要行銷。要行銷國家品牌，有幾個要點：

　　一、一定要有選擇性，選擇發展的產品類別，集中塑造那種產品類別的形象。沒有一個國家什麼產業都很強，以日本為例，也是先選擇發展電子家電、照相機、汽車，有助提升其國家形象。

　　台灣現在的民主走向，似乎不利做出這類選擇，政府很難抉擇要優先發展哪類產品，因此打不出國家品牌，這是很大的問題。

　　東南亞的泰國在發展國家品牌策略上，先主打觀光業品牌，接著繼續發展餐飲業，政府輔導餐飲業到國外推廣泰式料理。

　　國家要選擇哪些產品類別，必須有一些先決條件。

　　首先是有國際上較獨特的產品，才好說故事。

　　其次，對客戶有優異性，不論是在價值或品質上，在全球同類產品中較優異。

　　第三，這類產業最好有多元化產品，例如電子家電業雖是一類，但是相關產品很多、效益較高。

　　第四，在這類產業中，不能都是接受委託代工，還是必

須有很強的自有品牌，會比較有效。如果沒有自有品牌，廣告就算做得再大，消費者也買不到產品，即使買到了，也是掛別人的品牌。

二、選定發展某類產品之後，重要的是，這類品牌的廠商能夠攜手合作，一起促銷產品。很多人認為這種想法過於天真，但是我有兩個理由可以說服大家。

第一，如果是自有品牌共同合作，會逼著大家在產品、品牌進行差異化，否則合作不會有效果，甚至會有顧忌。

第二，所謂共同的活動，包含一起辦展示會、產品說明會，現在外貿協會舉辦的義大利精品展、加拿大酒節、法國美食等等，都是不同品牌一起展示。展示最好是不同的產業分類舉辦，不要用綜合展。

三、推廣品牌形象最有效的方法，還是深入報導。可以邀請國外媒體來台，雖然是同一類的產品，因為有差異，還是有故事值得報導。

品牌新思維

小國打品牌的策略，最重要的是產品得有競爭力，除了價格具優勢，還要不斷創新。其次，要找出一個有利可圖的區隔市場，再來就是建立國際行銷的能力。

　　國家品牌形象要強勢，產品就必須有差異化，例如德國汽車品牌很強，高級車有雙B一A（Audi），但是每個產品各有獨特定位，BMW和Benz價格相當，但是個性不同，客戶群也不一樣；福斯汽車是國民車，形象一直是平價、品質好。

　　德國汽車工業之所以強盛，也是來自於產品有相當顯著的區隔。

▌數位產品成為國家品牌

　　依我看，未來的數位產品最有機會成為台灣的國家品牌，只是現階段還有的主要包袱有二：一、大家都是做代工，打品牌會產生衝突；二、做代工都是大規模，利潤愈來愈低，做品牌又得重新學習、風險多，做來不易。

　　宏碁選擇個人電腦自創品牌，當時剛好有創新領先的產品，所以打出國際品牌，但畢竟也耗了二十年的光陰，今天是不是還有有志之士願意投入品牌這條路？

　　事實上，真正在國際上長期還能穩住成功的台灣品牌，只剩下宏碁和巨大；明基借重宏碁經驗，有好的起步；華碩在主機板的形象很強，趨勢科技則是在防毒軟體有形象，這兩種都是附屬產品，並不是主流產品。

　　看起來，有機會用數位家庭打國際品牌的候選人，還是

二A（宏碁、華碩）一B（明基），數量仍然不足夠。產品有差異最重要，當然也會有激烈的競爭。

在我有意的主導下，宏碁和明基的產品就有差異化，而且我的有意並非故意，而是的確有此需求，長期看來會有效，只是短期難免有部分產品線相近的衝突。長期觀之，大家為了自己必須要加強差異化。

國內市場是打品牌關鍵

要推出台灣品牌，最後還是得回歸到全民共識。

日本企業推國際品牌，仰仗的是日本全體國民的共識，韓國也是全民有共識。日本自己的市場就已經夠大了；韓國市場雖小，但也比台灣大一倍，再加上韓國人愛用國貨的民族性，讓韓國品牌在國內打下堅強的基礎，尤其是在家電業和汽車業。

韓國市場雖小，因為是寡斷，由兩、三家品牌分食，所

品牌新思維

東南亞的泰國在發展國家品牌的策略上，先主打觀光業品牌，接著繼續發展餐飲業，政府輔導餐飲業到國外推廣泰式料理。

以某個品牌有機會占50％以上。台灣市場規模是韓國的一半，一般品牌能占到20％就很難能可貴。這樣算下來，同樣一種產品，台灣公司和韓國公司在本地市場就至少差了五倍。

差五倍表示什麼？宏碁5％的營業額來自國內市場，如果宏碁在本國的營業額能多出五倍，雖然也只占全球總營業額的25％，但這25％至少會使宏碁有比現在大五倍經濟規模。日本市場比台灣大十倍以上，其國際知名品牌外銷比重大概只有50％，不像宏碁外銷比重超過90％。

所以在打品牌的時候，國內市場非常關鍵，美國的品牌如果沒有龐大的國內市場，在國際市場上不可能如此強勢。

韓國的大品牌企業規模都很大，他們是用長期承諾來思考發展。韓國企業在早期沒有創新的產品、也沒有優異的品質時，就已經開始打品牌，因此形象並不理想，現代汽車、三星、樂金的品牌形象都不高。

近年三星形象大幅躍升，因為 B to B 的 DRAM 及 TFT-LCD 世界第一，B to C 的 CDMA 手機也獨步全球。

■ 韓國品牌的轉機點

這裡我要分析，韓國的 CDMA 系統及手機會領先世界，是因為 CDMA 是韓國的國家標準、全世界第二大的市場，美

國採用之後，亞洲只有韓國採用相同標準。

建立CDMA技術能力後，韓國手機業開始打美國市場，所以在美國可以超越諾基亞、易利信，再加上不斷投入技術，因此產品領先。有別於以前的家電，CDMA手機不是用低價來打市場，這是韓國品牌的轉機點。

至於三星，它的DRAM、TFT-LCD原本是在B to B領域中領先，對於B to C還是間接的影響。

韓國下一波最有希望的產品是數位電視，現在它不只是尺寸領先，未來可能在功能設計上贏過群雄，尤其是目前三星和索尼合資，讓三星在長期發展上占據有利位置，因為三星唯一的競爭者就是索尼，而索尼的TFT-LCD主導權竟然是掌握在三星手上。

最近《富比士》有篇文章指出，三星是全世界利潤最高的高科技公司，它的品牌價值雖然不斷提升，形象還是有待強化。

根據美國《商業週刊》2004年8月的調查，三星的品牌價值竄升到第二十一名（2003年是第二十五名），可以說它的品牌價值跟它的企業績效還不成比例，企業價值遠大於品牌價值。

韓國品牌在國際上打拚有一個重要助力，也就是愛國心。韓國中大型企業的老闆如果買外國車，在國內就不必混

了，會被瞧不起。裕隆汽車在台灣就沒有這種待遇。

自創品牌困難度很高，如果到國外表現不好、出了問題，國內輿論是什麼態度？是給本國品牌鼓勵，還是頻頻挑毛病？

今天自創品牌出了問題，如果是自不量力、好高騖遠，當然要譴責；但若只是經驗不足、學費繳得不夠，輿論應該要諒解，而非打擊。如果是一時挫折就還有希望，政府、輿論都要在精神上支持。

政府對企業的長期支持

我以一個例子來說明，政府可以如何支持有希望的品牌。例如，所有駐外單位用的都是國貨，但是會造成駐外人員作業不便，因為買當地的外國品牌售後服務當然比較好，用國貨售後服務不好是沒辦法的事情，大家在心理上能不能有共識？

自創品牌是漫漫長路，建立國際服務體系需要時間及機會，如果政府或台商駐外單位不支持，對努力打品牌的企業是一種打擊。此外，全民是否願意抵制品質不好的產品？消費者是最大的抵制，強迫品質不好的品牌改善，甚至讓他們沒有生存空間。

　　但是我們看到的是相反的發展，例如，政府採購法本質上就是在鼓勵偷工減料。這樣的文化能讓我們創造品牌嗎？品牌是一種責任，但是政府採購制度就在鼓勵不負責任，讓廠商削價搶標案。台灣要走品牌的路，的確步履維艱。

　　韓國政府在政策上鼓勵消費者多買國貨，對企業長期支持，尤其在金融危機前，都是政府貸款給大企業，讓他們規模不斷擴大，好打一場長期戰。

　　我常常講，三星的轉捩點是1997年的金融危機，讓它放棄汽車事業，否則它要在汽車業打出品牌，不知道要花多少資源，人才、資源、管理都會分散心力，不能讓他們專心在DRAM、TFT-LCD，最終產生絕對的領先。

　　韓國國家品牌形象最成功的一戰，還是1988年的漢城奧運，這是行銷國家很重要的管道；此外，韓國大品牌的長期承諾，也大大有功。

　　現在韓劇對鄰近的國家，當然也收塑造品牌之效，只可惜無法打到西方世界。韓國的整型產業也對國家品牌有幫

> **品牌新思維**
>
> 品牌是一種責任，但是政府採購制度就在鼓勵不負責任，讓廠商削價搶標案。台灣要走品牌的路，的確步履維艱。

助，線上遊戲雖然有領先，主力市場只集中在本國與台灣，不像日本、英國、美國品牌可以做許多普及世界的遊戲。

▓ 亞洲企業如何打國際品牌

至於亞洲企業如何打國際品牌，還是回到我之前說的，要有選擇性、優異性、獨特性，選出強勢產品後，還要自創品牌，台灣的資訊產品雖然強勢，但並不是自創品牌。

在這些產品裡，有四個因素會讓品牌產生較好形象：品質、科技、設計、創新。如果要建立全球品牌，這四個因素缺一不可，例如，就算是衣服，如果有科技的成分，還是有所幫忙。有了這四個基礎，大家再一起來共同推廣這一類的產品。

以法國酒為例，在品質上，當然有分級制度把關；在釀酒方面，也開始利用科技。

法國酒是所有酒商的共同品牌，一定是大家共同推廣，推廣的時候不能只針對高級酒，也不能只推平價酒。旅遊團到法國，有不同的酒莊可以選擇，可以訴說不同的故事，這是用大家的力量、利益，共同來塑造國酒的形象。

市場腹地對打品牌有舉足輕重的影響，即使是小市場還是可以借重，宏碁就是一例。

▌ 台灣品牌與大陸市場

　　早期「小教授」的市占率都在60％以上，市場雖小，但絕對領先，沒有競爭者，所以有很好的市場基礎，對初期站穩腳步、建立規模幫助很大。不只如此，管理經驗、打品牌的能力也必須利用國內市場來磨練。

　　打品牌需要有長期抗戰的準備，有了這個基礎後，產品一定要在某個領域有相當或絕對領先，才能打到國際上。就像日本家電，當年在品質是絕對領先，對於品牌塑造貢獻良多；諾基亞也是在GSM絕對領先，才造就了霸業。

　　就個人電腦產業歷史來看，從IBM到康柏的絕對領先，之後就不復見產品的絕對領先，慢慢轉為以生意模式的絕對領先見勝負，才會成就戴爾電腦的領先地位。宏碁領先也是靠生意模式，當產品沒辦法絕對領先時，就要用另外一種方式打品牌戰，更需要注意當地化的需求。

品牌新思維

就個人電腦產業歷史來看，從IBM到康柏的絕對領先，之後就不復見產品的絕對領先，慢慢轉為以生意模式的絕對領先見勝負，才會成就戴爾電腦的領先地位。

　　很多人總是質疑，台灣企業老是在奢想大陸市場，我必須說，台灣企業要打品牌，大陸市場可以提供的是規模及人才訓練；更重要的是，大陸市場可以提供打大市場的經營經驗，台灣市場相對欠缺這些條件。

　　到大陸打品牌，文化、語言都接近，相對於其他國家，我們的當地化行銷管理比較有效。當然，跟大陸廠商比，台灣廠商不見得占上風，但是當地廠商在產品的競爭力，應該還比不過台商。

▓ 政治的風險

　　我試著分析台商、大陸企業與國際企業的行銷能力及產品競爭力。台商是A級（產品）加B級（行銷能力），大陸的產品是B級（產品）加A級或B級（行銷能力）；如果就台灣企業、跨國企業與大陸本地企業細分，在產品面，台灣企業是A級，跨國企業是A級，大陸企業是B級。

　　跨國企業的行銷能力在國外是A級，但到了大陸因需要當地化，打折之後，整體行銷能力就變成了B級；台灣企業的行銷實務是B級，當地化打折後，變成B-級；大陸企業的行銷實務是B級。這樣算下來，台灣企業猶有機會一拚。

　　值得注意的是，像是個人電腦，聯想的行銷絕對領先國

際品牌，再加上產品沒有差異化，所以聯想獨大。

　　台商到大陸打品牌，最大的風險還是來自政治。就算撇開兩岸政治衝突產生的風險，泛政治化的風險造成的影響也夠你受的，張惠妹唱國歌被大陸封殺是一例。我至今始終保持政治中立的立場，但2000年我參加國政顧問團，大陸網站上立刻出現要封殺宏碁產品的言論。

　　在和大陸品牌競爭時，還是要借重我們國際化的能力，我們對於財務的觀念，也領先大陸企業；還有其他優異的核心競爭力，例如研發能力、關鍵零組件的掌握、經營華人市場的經驗。我們有從無到有的經營經驗，這些都是大陸企業較欠缺，使得我們比較能預知大陸未來的發展方向。

　　如果不想涉入大陸市場，台灣自創品牌也不是沒有出路，只有兩個方法。一個是鄉村包圍城市，一個是利基產品。這是避免硬碰硬，因為條件不夠，從鄉村做起，慢慢攻到城市；從利基慢慢培養實力，從非主流到半主流再到主流產品。

品牌新思維

台灣企業要打品牌，大陸市場可以提供的是規模及人才訓練。更重要的是，大陸市場可以提供打大市場的經營經驗，台灣市場相對欠缺這些條件。

▌ 新宏碁模式

另外一個做法，就是新宏碁模式，就是放棄製造專業打品牌，即完全以台灣商品化的能力，加上台灣與大陸製造的基礎，整合國際當地資源，行銷借重當地人才，因為當地的人才懂得行銷當地，這就是宏碁的模式，也就是專業品牌行銷公司的模式，專注在塑造品牌形象，以及國際行銷管理的經營。

我常常說，宏碁是以台灣整體產業優勢打仗，不是只靠自己打仗，廣達、仁寶、鴻海都變成我們的資源。打仗不能只靠自己，要靠整個台灣。台灣可以選擇一條產品線，如禮品、服飾、皮件等，理性的在台灣設計，感性的就當地化，找義大利設計師設計，利用台灣商品化與大陸製造的能力，跟當地廠商合作，塑造品牌。

我現在想在台灣推動的是科技化的服務業，因為服務業將來比製造業空間更大，競爭障礙更高，可加速整合台灣現有的資源，未來才能產生更大的經濟效益。

科技化的服務業有四大塊：流通、金融、健康醫療與品牌行銷，我認為台灣最應專注開發的新核心競爭力是品牌行銷，用以整合台灣現有競爭優勢的行業，它的效益很高，且比其他服務業更能國際化。

第六章

品牌與行銷

國際化成功的關鍵，在於借重當地資源的能力；
品牌商當地化能力愈強，愈要借重當地資源。
一旦掌握上游、中游的關鍵能力，
下游的事情交給當地合作夥伴即可。

　　很多人常常將行銷掛在嘴上，到底什麼是行銷？

　　如果從微笑曲線來看，產品製造出來以後，曲線右邊所有的活動，都是行銷；行銷還有把右邊市場的反應回饋到左邊的研發，使之更符合右邊需求的責任。舉凡這些範圍都是行銷，通路、品牌、廣告、服務、配銷、商業模式等，都是行銷活動。

　　行銷可以從兩個方向來成長：一個是新市場、一個是新產品。新市場是借重原有的行銷知識用舊產品來開拓；新產品則是借重原有的行銷能力，帶入新產品所產生的業務。

　　行銷工作首先從市場調查開始，慢慢發展出產品策略、通路管理、公關廣告、形象塑造與售後服務，涵蓋的範圍很廣；因此，行銷的複雜度及所需的細膩度，絕不亞於製造。

　　製造很專業，要求極細微，很多人覺得製造比行銷複雜，認為行銷就是把東西賣出去，好像很簡單；這是因為沒有機會介入行銷許多細膩、複雜的過程。

　　我深深有體會，製造的知識、經驗，像是品質管理、工業工程等原則，不同的產品基本上相差無幾，甚至在不同的文化地點製造，原則幾乎一體適用；但是談到行銷，不同產品、不同市場，做法都不一樣。

　　從微笑曲線也可以看出來，製造知識的價值還是比不上行銷的知識。

■ 行銷最關鍵的能力

那麼，行銷國際化又是什麼意思？我對國際化的定義有兩種：一是將市場由國內擴張到國際。二是經營知識具有國際水準，諳熟國際上最新的有效方法；因此，在自己的市場裡，經營方法具有國際水準，也是國際化。

行銷國際與行銷本地迥然不同，市場規模就是其中的變數，規模不同，做法當然有差異。消費習慣也各地不一，比如說筆記型電腦，歐洲要的產品是功能強，亞洲要的產品是超薄型，這還是理性的層面；在感性層面，顏色、造形、流行等因素，不同市場都有不同口味。

此外，行銷不同市場，塑造形象的方法也大不相同。塑造形象跟知名度、市場大小有關，要在小市場形成有經濟效益的知名度和定位，相對比較容易，到大市場塑造形象就大相逕庭。宏碁到大陸塑造形象，即使投入許多資源，效果仍然有限。

我要強調，行銷不只是賣東西，而是一個很複雜的過程，其中有很多知識，最重要的是有實務經驗，也要有借重整合的能力。就算你了解再多行銷知識、有再多經驗，自己一個人也做不了什麼，還是必須借重、整合。

到最後，借重與整合的能力，反而成為行銷最關鍵的

能力。培養這些能力，都是永無止境，需要金錢、時間、經驗，而且非付學費不可。

台灣現在各個產業都在搶人才。短期看起來，製造彷彿更需要大量人才；但長期而言，行銷人才需求更迫切。這也是宏碁長期以來一直願意投資培養行銷人才的原因，雖然成效較慢，現在才日漸開花結果。

到底什麼樣才算是行銷人才？我覺得溝通能力很重要，因為要做整合、借重他人，必須靠溝通；其次，對產品、產業的背景要有認識；學習能力、語言能力也很重要；最後，他要願意「飛來飛去」，也就是到國際去闖。

■ 成功的國際化行銷關鍵

成功的國際行銷有幾個關鍵：

一、借重當地資源：這是最關鍵的能力，當地資源還包含公司內部的管理人才。在2004年義大利籍的蘭奇（Gianfranco Lanci）升任宏碁總經理，多多少少顯示，宏碁將國際當地的資源，有效整合進入全球運作；宏碁還把荷蘭人派到美國做管理，這些舉動都是人才的整合。

除了人才，還要借重當地的合作夥伴。合作夥伴不只有通路商，還有供應商。當地的供應商可以供應零件、服務

等，就算是跨國企業供應商，像是微軟、英特爾，也要借重他們在當地的能力。試想：要得到跨國供應商的資源，到底是透過總部快？還是透過當地公司就近整合快？答案當然是後者。

借重當地的金融機構也很重要。像是宏碁買了應收帳款的保險，宏碁在歐洲是大品牌，我們便帶著歐洲的保險合作廠商一起到大陸，使得宏碁成為大陸第一個應收帳款有保險的公司。這是因為宏碁和對方在歐洲已經是很密切的夥伴，大家可以攜手一起到海外做。

要借重當地資源，第一需建立總部與各地主管的互信基礎；第二要各地區的營運做好內部管理，有效掌握內部管銷費用、庫存、應收帳款，如果這方面反應不夠快，很快就會出問題。海外戰場如此遙遠，如果不能隨時注意應收帳款、庫存資料，並及時糾正，累積一、兩個月就吃不消了。

以我的經驗來看，到海外打品牌，應收帳款與庫存常常是永遠的痛。我相信戴爾、宏碁最後之所以贏，關鍵就在於

品牌新思維

台灣現在各個產業都在搶人才。短期看起來，製造彷彿更需要大量人才；但長期而言，行銷人才需求更迫切。

管好這兩件事，尤其是庫存。IBM、惠普的管道就太長，控制機制不足，隨時都會出現漏洞。

宏碁可以控制好庫存，是因為管理機制得宜，包括應收帳款的保障。此外，宏碁的生意模式也有直接效果，也就是說，我們的貨從外包商直接到經銷商，密切掌握通路資訊。宏碁調整庫存的方法，是每天都在注意、每星期都在調整，這一點競爭者很難做到。

宏碁現在的決策機制非常快速，在現有競爭環境下，極具競爭力。由此可知，戴爾和宏碁的共同優點，是生意模式簡化，然後不斷複製。我觀察到，IBM、惠普都不是在複製自己的成功，因為他們在每個地方都採用不同模式，他們唯一能借重的大概就只有企業形象。

國際化之所以失敗，多半都是經驗不足，用二軍、三軍對抗別人的一軍，敗局已經注定。如果你只能用二、三軍去打市場，就要選擇次要戰場，攻打主戰場必敗無疑。

宏碁筆記型電腦在歐洲能打敗惠普、變成第一名，相對而言，我們用的是一軍，經營團隊很團結；惠普的一軍不穩定、和康柏合併後內部鬥爭未歇，我們因此乘勝追擊。

二、要直接掌握市場：雖然要借重當地資源，但是，渠道通不通，決定於你對當地市場的了解與掌握。一般而言，掌握市場的手段是透過公關廣告等當地化的活動，直接對客

戶的客戶（也就是最終消費者）塑造品牌產品形象。

▦ 通路

　　到海外做行銷，通路是門艱深的大學問。很多品牌擴張
到海外，都是在通路上栽了跟頭。

　　一般而言，B to B品牌的通路需求有限，可以透過代
表、代理商來做，代表可能是一家公司或一個人。如果是一
個人做代表，有些地方還可以在家上班，個人代表通常領很
低的費用，有銷售再發佣金；如果是公司，有銷售才有佣金
可領，無銷售則無佣金。

　　B to B品牌的通路有幾個特色：一、客戶數量有限；
二、商業買賣的條件很複雜，必須深入了解，且銷售期間都
很長。代表是代表公司的人員，要長期經營客戶，從推廣到
最後的交易，都要花很多時間。一般不認為代表即是通路，
比較像公司的延伸、外包，管理也比較簡單。

　　現在也有一些B to B企業自己直接經營通路，IC公司如
英特爾，在台灣如果有一百個客戶，其中約有十個大客戶不
經過通路銷售，另外九十個較小的客戶才由通路商服務。

　　通路負責物流與金流，行銷做的有限，因此，B to B借
重通路的範圍最小，以金流、物流為主，其他的行銷、品牌

塑造等通常都自己做。真正的問題在於你希望通路商扮演什
麼角色。

我們一般在談通路，進口商（importer）、配銷商
（distributor）常常是同一個，但有時也不一定。貨物從國外
進來，總是要經過進口商，有時進口商和配銷商是同一家公
司；有時一個進口商下面，還會有好幾個配銷商。

配銷商之下就是經銷商（dealer）或零售商（retailer），
這是目前一般通用做法，是雙層式的通路，一層是進口商／
配銷商，另外一層是經銷商／零售商。以現有的運作來看，
雙層模式可行性較高。

戴爾電腦的模式很特別，是零層，廠商直接面對消費
者。宏碁在歐美是雙層，在台灣與亞洲是一層。在台灣與亞
洲推一層式通路的原因，是這兩個地區賣電腦的配銷商不夠
強、財力不足，因此宏碁分公司自己當起配銷商。

▋ 通路商的角色

通路商應該扮演什麼角色？它就在當地，對市場比較了
解，宣傳、售後服務、金流、物流，都必須涉入到某一個程
度。如果是配銷商，它下面的經銷網，如經銷商、零售商，
都必須夠強。通路有很多任務，品牌商和通路如何分工，端

看品牌商在當地的部署。

　　一般而言，品牌商會分攤配銷商的一些責任，也必須重複確認配銷商對市場的了解是否透徹。品牌商一方面要借重配銷商對市場的評估，一方面也要自己去了解；至於推廣工作，如果要做得深入，原則上品牌商都應該自己控制。

　　售後服務如果要做得成熟，一般也是由品牌商控制。像是個人電腦的售後服務，本來是經銷商負責，但毛利大幅降低之後，其服務意願低落，不利品牌形象，最後品牌商只好自己介入控制。

　　金流、物流是通路商最大的價值所在，接下來就是其經銷網。

　　經銷網的關係，品牌商也要介入經營。貨物雖然是由配銷商配送，但是新產品消息、溝通、服務方式、競爭者分析等關鍵資訊，都不能被配銷商操縱。因為配銷商常常代理好幾個品牌的產品，自然會有其偏好，如果資訊被配銷商操縱的話，對品牌商相當不利。

品牌新思維

戴爾電腦的模式很特別，是零層，廠商直接面對消費者。宏碁在歐美是雙層，在台灣與亞洲是一層。

　　以宏碁為例，到目前為止，我們一定是直接把訊息傳遞給經銷網，讓他們全盤了解，甚至有些推廣計畫是直接把好處回饋給經銷商，而不透過配銷商。

▋分工而不重複

　　或許有人會懷疑，配銷商、品牌商是否因此重複投資在某些角色上，造成不必要的浪費。我認為有些角色，品牌商可以完全交給配銷商，如金流、物流；但是，品牌商必須自己掌握某些角色。

　　比如說了解市場，通路商和品牌商的角度就不一樣，通路商比較從市場觀點考量，品牌商則從未來產品開發的角度思考；彼此都要了解市場，只是切入點不同。雙方都可以做促銷，但是要分工，不要重複，因為經費有限。

　　比如說，廣告費用如果占營業額2％，分給通路商0.5％，品牌商留1.5％，雙方該做什麼，需要明確分工。售後服務也要分清楚，例如配銷商做第一線、品牌商做第二線，或者是通路商或品牌商全包，因此也會有不同的利潤分配模式，這些細節都必須事先約定。

　　建立經銷網也要分工，一般而言，金流、物流由配銷商負責，資訊流由品牌商負責。

重要的是，大家的毛利潤都很低，品牌商、配銷商、經銷商這三層毛利要如何分配？毛利分配跟分工的多寡有關，分工愈多者，毛利分配就愈多，其中關鍵就在角色扮演，不能重複投資，重複投資成本會增加。在總毛利有限的限制下，常會有衝突，通路管道就不能順暢。

問題出在，究竟由誰分配利益？一般而言，是由品牌商主導，但是品牌商的目的是要銷售產品，管道不通，產品也賣不出去。

所以，品牌商不得不視競爭者與配銷商的條件而有所調整，如果配銷商強勢，品牌商沒有辦法，也只能低頭。因此，雖然是品牌商分配利益，實際上也無法一手控制，通路強勢時尤其如此。

舉個例說明。燦坤對品牌商的壓力很大，有些產品當售價已壓到買價之下，也就是虧本銷售時，會回過頭來要求品牌商補貼，否則威脅拒賣該品牌。

說來說去，還是看誰強勢，不管是品牌商、配銷商或經銷商，每個角色都要凸顯它的核心競爭力，變成不可或缺的價值，才可以確保自己的利益。

你的非核心可能是別人的核心，最好的解決方法，是把非核心的角色交給別人做，中間的毛利就要交給他，這樣的分工才行得通。

■ 渠道順則三贏

通路通常扮演「推」的角色，品牌商最後扮演「拉」的角色，一推一拉才會順暢。在利益分配上，渠道順則三贏，不暢通時的確很難三贏，因為三層都有各自的價值、核心競爭力，當其中一方沒有扮演好角色時，整個通路就不順，業績自然不佳。

重點是每一方的角色都要變得很強勢，強強合作，若能協調好，通常是贏家。強強協調，彼此能力如果重複，要找出最合適的一方來做，貫穿時就不會重複。強強相加，本身相對比較有效、有機會贏，贏了之後，大家才能雨露均霑。

這就是「通路」二字的道理，中國大陸稱通路為渠道，渠道不通就沒有用。

這個道理不證自明。因為價格競爭、利潤是固定的，重複投資就表示有一方的投資不會有回收，大家都做同樣的事情而產生衝突，結果可能就更差。

因此，最好的方法是三方自立自強，才有合作機會；在角色扮演時，大家要事先溝通，做好約定；執行時，也要堅守原來的承諾，如果品牌商不履行該負的責任、該扮演的角色，造成某一個角色成本增加，此時若沒有重新分配利益，便會產生衝突。

在我看來，品牌商、配銷商、經銷商之間的衝突常常是沒完沒了的，其間都涉及利益分配。因此如何讓通路順暢，只要有流動，大家都沒有意見；如果不流動，本來對的分配方式也會出問題。

通路商都是短利的，品牌商一定在意管道流通，但應該看長期，不應該只顧著短期利益。品牌商應該盡一切手段讓渠道流暢，包含行銷、對經銷商的獎勵等，必要時甚至要進行價格保護。

■ 價格是紛爭的導火線

價格是品牌商與通路商之間紛爭的導火線，品牌商要保護產品價格，但是又不能完全保護，萬一是通路管理不好而產生庫存，經銷商要降價求售，品牌商要怎麼辦？該誰負責？一般做法是規定經銷商的庫存在一定額度內，如降價時可有折讓保護其銷售毛利。

品牌新思維

通路通常扮演「推」的角色，品牌商最後扮演「拉」的角色，一推一拉才會順暢。在利益分配上，渠道順則三贏，不暢通時的確很難三贏。

做國際行銷最大的問題常常出在通路庫存，就算是總公司賣給海外分公司，在總公司算是銷售，但是以合併報表來看還是內部庫存，這就叫作未實現利益，不算營收。

即使把貨倒給配銷商，它的庫存算你的，還是它的？名義上是它的，實際上還是你的；雖然歸屬權是它的，貨不到消費者手上，是滯銷，它可以要求退貨，或者要求你降價，讓它把貨推銷出去，除非你想要與配銷商斷絕往來，否則或多或少總是要妥協補償。

在做帳的時候，銷貨折讓、退貨折價、不良品保證，全部都要算進去，否則帳都是虛增的。

▍產品到哪去了？

在台灣的品牌商中，宏碁通路經驗最豐富。有趣的是，早期我們不知道貨到底賣到哪裡去了，連哪個經銷商、經銷網替我們銷售都無從得知。因為那時都要經過進口商，根本管不到配銷商，還得補助2%～3%的營業額給他們做為廣告費用。

隨著品牌商行銷的進展，宏碁不斷調整，原則上我們不經營通路，但找不到能配合的配銷商時，只好自己配銷了。

宏碁在台灣、亞洲，就不得不自己當第一層的配銷商，

理由是我們最初賣電腦的時候，配銷商並不存在，後來也沒有一家配銷商幫得上忙。

通路商通常都是銷售多品牌產品，專售單一品牌，在產品成熟後較沒有競爭力，主要是因為消費者要比較，經銷網要平衡、也要經濟規模。通路要多元才能不受制於人，要多元、多品牌，也要有經濟規模，靠一家公司、一個品牌，不會有經濟規模。

對配銷商來講，它要做的金流、物流、專業都一樣，多賣幾個品牌，效益會比較高；當然，過猶不及，如果同類產品品牌太多也不好管理。

一般而言，家電行、電腦行、手機行等零售商幾乎都是多品牌，像宏碁這樣有專售店的案例較特殊，因早期在台灣電腦配銷商尚未存在，競爭品牌也不多。

宏碁在歐洲可以做得這麼好，也是借重當地配銷商過去一、二十年建立非常成熟有效的通路網，我們只要專心建立有效營運模式及提供有競爭力的產品即可。

品牌新思維

不少人一廂情願的認為，通路要自己掌握。但是，經營成功的關鍵是專注，品牌商如果分心管那麼多事情，當然會影響到經營。

　　通路商很喜歡找具有以下兩種特質的品牌商合作：一種是贏家，不是贏家，條件再好都很難做；第二種是會借重他們能力的廠商。

　　以歐洲電腦市場來看，戴爾電腦雖是贏家，但是不會借重通路；惠普是贏家，想借重通路又想直銷，態度不明朗；宏碁那時看起來是贏家，又願意借重他們，所以通路商都跟著我們走。宏碁在美國打輸，則在於沒有好的通路商，同時自己營運及產品競爭力也不足。

▋ 分層整合，專注經營

　　不少人一廂情願的認為，通路要自己掌握。但是，經營成功的關鍵是專注，品牌商如果分心管那麼多事情，當然會影響到經營。做直銷是自己做通路，投資費用太大，如果做得沒有比合作對象好，就應該讓價值鏈的合作對象來做。

　　價值鏈本來就有很多分工，一個品牌要做多少活動，必須量力而為，愈多當然控制力愈大，卻也會反過來影響管理的有效性、彈性。

　　尤其是市場需求起起伏伏時，彈性變得特別關鍵，業務機會來的時候，自己來不及建立，借重外力比較快；市場需求差的時候，如果都靠自己的力量，則這些固定成本又太

大，加重負擔。

我現在談的都在微笑曲線的右邊，右邊還是需要很細的分工，專注在自己最有效的核心，有的是先天，就像對當地的了解，當地經銷商先天比國外品牌商了解，本來就應該借重它。

自己做通路最大的問題是營運成本沒有彈性，要管得很細，所以最好的模式還是分層整合。只是通路不能分太多層，因為太多人分利益難整合，會影響競爭力；不過一般也不能少於兩層，金流、物流交給當地通路商，藉此簡化品牌商的管理。

如何正確選擇當地配銷商？首先當然要評估它該扮演什麼角色，它的優勢究竟是什麼。例如，它對市場很了解，在合約上就要載明，它應該有提供哪些市場資訊供品牌商決策的義務；至於推廣，它用錢是否會比品牌商更有效，要補助它2%或0.5%的廣告費，都必須詳細評估。

■ 讓通路商有利可圖

幾乎可以說，品牌商國際化的程度，影響了它選擇通路的方式。評估的原則，是自己已經有的能力以及關鍵性必須擁有的能力，不需借重外力；其他則可以在評估之後，交給

配銷商做。

分配任務時，要事前溝通，雙方互信，合約當然要寫得清清楚楚。品牌商對配銷商的業績目標、目標管理，都要明確確認。

合約上通常會載明銷售地區、產品線（一個品牌可能有很多產品，不是所有產品都交給同一家）、交易條件、付款條件、庫存責任、行銷承諾、服務承諾等。

一般來說，合約上都會提到，如果沒有達到80％的業績目標，品牌商可以採取什麼措施；最重要的是，合約要寫清楚是否為獨家代理，一般大品牌都不會給獨家代理合約。

此外，還要和通路約法三章，包含規範它需要投入多少資源在推廣你的產品、不能代理太多品牌等，擺設量和位置也要規定，把產品擺在最偏僻的角落便是破壞品牌。

對通路的規範還必須擴及到服務、價格、廣告等等，宏碁遇到最大的問題，就是通路廣告亂搞，不但隨便使用我們的標誌、企業識別系統，甚至還會誤導，例如公司的名片印得模稜兩可，讓人誤以為是宏碁。

以我個人的經驗看，品牌商當然要讓通路商有利可圖，所謂的有利可圖，不是指折扣多，而是綜合的利益多，產品的定價策略、行銷廣告策略都可以提供利多。最終的目標，是為了產品能流通，經銷商有利可圖才會流通，如果無利可

圖，衝突在所難免。

評估配銷商金流、物流、經銷網的有效性

在評估配銷商時，它的金流、物流、經銷網的有效性最關鍵，為什麼？以了解市場這個能力來看，對經銷商的影響小，對品牌商的影響大，品牌商必須確認產品被市場接受，經銷商只是資訊管道來源之一。

同樣的，推廣能力對品牌商的影響也高過對配銷商的影響。因為，最後品牌形象是屬於品牌商，不是配銷商；服務做不好，傷害的還是品牌商的形象。但是，金流、物流、經銷網必須透過配銷商建立，做不好對品牌商影響較大。

經銷網的建立，常常不是因為品牌商的品牌，而是因為配銷商的服務，例如多產品線調貨、補貨、放帳等等機制，因此經銷商通常會找強的配銷商供貨。

選擇配銷商，財力是重要的指標，因為它要負責金流；

品牌新思維

避免通路發生問題，辦法是盡量不要給獨家代理，否則通路一垮，品牌商也跟著被拖累。

運籌能力、部署能力當然也不能忽視，但真正重要的還是金流。對於大品牌商來說，金流問題還好，可以買應收帳款的保險。

早期宏碁無法購買這種保險，只能要求配銷商開信用狀，對配銷商很不利，因為在運送過程中，閒置的資金成本都是由他們負擔，所以他們才會要求我們到歐洲設發貨倉庫。

通路商的財力、信用很重要，他們如果沒有錢，業績做愈大，品牌商的風險就愈高。很不幸的，有能力、很積極想爭取代理的配銷商，常常不是有錢的公司，因為有錢的公司已經被強勢品牌商拉走了。

宏碁目前在大陸就積極在搶規模較大的配銷商，希望可借用其已具備較強的金流、物流能力，至於他們的推廣、服務能力，現階段對我們來講不是關鍵。

如何管理配銷商

避免通路發生問題，辦法是盡量不要給獨家代理，否則通路一垮，品牌商也跟著被拖累，宏碁初期幾乎都給獨家代理，後來金融危機衝擊東南亞，代理商倒閉，宏碁只能重新建立通路。

既然有風險，為什麼在這些國家還給獨家代理？因為一

般規模小的品牌商，初期沒什麼條件，如有進口配銷商看上而承諾全力推廣時，只好給獨家代理。但獨家代理可能會被控制，這還是小問題，因為有生意大家可以一起做；更困擾的是獨家代理商垮掉，或是被其他強勢品牌搶走。

所以，為預防萬一，最好是多家代理，或者在合約上載明非獨家代理，通路出問題時才不會被掐住脖子。

找通路要考慮各種風險，我一再提醒，通路最重要的就是流到市場的管道不要被堵塞，有任何堵塞的可能，你都要有備胎方案，最好的辦法是你有權利在其他地方「開運河」，讓貨物流通。

■ 轉換經銷商的錢、法、情

宏碁在菲律賓的配銷商是我們的合資公司，後來財務出問題，我們不但被倒債，還必須重新建立通路。

宏碁在中南美洲曾經有一家在墨西哥的上市公司，建立了強勢的行銷組織，在墨西哥、智利、巴西與阿根廷都有裝配廠。後來因當地合夥經營人覺得個人電腦是夕陽產業不好經營而退出，只好由總部買下其股權而下市。之後宏碁因缺乏當地管理人才採保守做法，因此市占率節節下降。

早期我們規模小，生意做得不錯，等到規模愈來愈大、

競爭愈來愈激烈時，就產生兩個問題：一、數量變大，風險也提高，毛利降低，配銷商經營陷入困難。二、競爭激烈下，配銷商能力明顯不足，尤其欠缺資金能力與規模能力。

宏碁早期都是找獨家代理，後來從獨家轉為多家代理，這個過程花了很多代價，有的是買權利、有的還上法庭，花了好幾年才慢慢解決。

在轉換配銷商的過程中，最難處理的還不是錢、法的問題，而是情。當年大家一起打拚，只是隨著環境轉變，配銷商已經不符所需，我們雖然盡量溝通，也很合理、合法，最後對方還是很難接受，認為我們無情無義。

宏碁在印尼、泰國有一家配銷商，算是當地最好的通路商，財力很好，卻在1997年的亞洲金融危機中倒閉，我們只好重新建立。不過，塞翁失馬焉知非福？因為金融危機，我們反而擁有了主導權，現在在泰國的市占率是第一。

▌ 管理與執行能力定勝負

宏碁在大陸遇到的問題，是配銷商財力不足，我們又不願意放帳。我們曾經試圖放帳，但是馬上就出問題，因為大陸廠商如果有機會倒你的帳，實在比它自己賺要快得多，它會找盡各種理由不付錢。

　　宏碁的通路開發，出最多問題的就是在大陸，經歷至少五次以上的改革，主要原因就是大陸通路不健全。

　　健全的通路包含信用、責任、義務，這不單是通路商的問題，而是他們的觀念還沒有這麼進步。

　　目前的狀況對大陸本地廠商較有利，也只有他們能主導渠道，尤其是電腦業，幾乎都是當地廠商的天下，只有像IBM、惠普這種公司，客戶多半是大企業，不那麼需要借重當地渠道。

　　可以這樣說，就產品面，國際化的公司有優勢；建立渠道時，當地廠商如果有相同產品，則較占便宜。但是隨著時間演變，當地廠商的產品會逐漸改善，外國公司的渠道也會慢慢建立起來。誰勝誰負，最後比的就是管理與執行能力。

　　台灣品牌行銷國際，形象是第一個挑戰，而人才、國際化經驗不足更是嚴酷的考驗。人才不足的，不只是前線打仗的行銷人才，背後支援、控管的公司經營人才也奇缺，這都是很大的隱憂。

品牌新思維

台灣品牌行銷國際，形象是第一個挑戰，而人才、國際化經驗不足更是嚴酷的考驗。

　　我們不是沒有優勢，例如：產品創新價值、價格優勢等等，最弱的一環就是形象、人才與經驗。

　　形象必須靠多元化的品質來呈現，如：公司治理的品質、產品品質，接下來是溝通的品質、管理品質、當地管理的品質；甚至連員工的表現，都會影響台灣品牌的品質與信用。至於人才問題，企業要提供戰場，這需要時間。

　　經驗是指讓所有相關人員都到戰場打過仗，光用想像還不夠，一定要深入市場去感受。製造產品可以在後方進行，打仗一定要到現場，行銷不能坐在中央指揮，打仗時統帥都要御駕親征，就是這個道理。

■ 品牌與預算

　　打國際行銷戰，花錢在所難免。花錢之前，品牌、通路、服務、運籌、應收帳款與庫存管理，都要先準備好，否則只是白白浪費錢。其次，花錢要持續，因為品牌無法一時一刻建立，預算必須控制在長期有能力繼續花錢。

　　品牌跟預算多寡不一定有關，如果企業規模小，小預算也能產生一些效力，效力才能轉成獲利。品牌效力一定要轉成獲利，這場仗才可以繼續打下去。所以，品牌商隨時都要有預算，初期要花錢，更上一層也要預算，永遠沒有止境。

▓ 擬定行銷費用

擬定行銷費用的策略，首在決定比例，亦即銷售收入中要有適當比例做行銷。其次，在整合行銷的工具中，必須考慮要借重哪幾種工具，且隨著產業、時間、市場不同而有所改變。

行銷預算一般都有一定比例，每個行業比重不一。比如說，電腦業的行銷預算通常是營業額的2％～3％；軟體業可能是15％；化妝品則可能高達30％。如果是做B to B的生意，0.5％都算太多。

行銷費用又分為兩種預算，一種是初期預算，一種是維持預算。維持預算有一定比例，初期預算則是策略性攻堅的短期預算。

品牌新思維

行銷費用又分為兩種預算，一種是初期預算，一種是維持預算。維持預算有一定比例，初期預算則是策略性攻堅的短期預算。我可以用牛頓第一運動定律來比喻：物體要運動，啟動的力量和維持的力量並不一樣；同樣的，最初推動品牌和繼續保持品牌的力量，當然也不相同。

　　我可以用牛頓第一運動定律來比喻：物體要運動，啟動的力量和維持的力量並不一樣；同樣的，最初推動品牌和繼續保持品牌的力量，當然也不相同。

　　至於如何分配預算，就需要整合行銷的觀念。做整合行銷必須充分了解公關、事件、培訓、廣告等工具，隨時間、市場不同等客觀環境改變，彈性調整。打品牌初期可能是公關花比較多錢，也可能是廣告花錢，並沒有一定的法則。

　　關鍵就在於：一、要有整合行銷的觀念，不能只靠一種工具；二、每筆銷售額裡要有合理的廣告預算，隨著產業、產品的不同而調整，像監視器的廣告費用要降低，因為是配合電腦賣，筆記型電腦的費用就比桌上型電腦高。

　　在思考如何花錢時，必須想到你的訂價模型，而訂價模型又跟競爭態勢、產品週期息息相關。

▌ 宏碁的制勝方程式

　　此外，預算除了分配給各種不同的行銷工具，還要考慮品牌商、配銷商的分配，甚至還要分給經銷商，完全視品牌商當地化的程度，以及品牌定位與知名程度而定。事實上，強勢管理很重要，因為這筆預算相當重要。

　　過去，內部管銷費用是宏碁最大一筆開銷，現在在微笑

曲線右端，品牌行銷廣告費用占最大宗，其次是售後服務，內部管銷費用則降到第三，等於是刻薄自己，成全品牌。這是因為產品成熟、競爭需要的關係必須做這樣的調整，我認為這也是宏碁的制勝方程式。

惠普、IBM的管銷費用都非常大，宏碁為什麼要這樣變？因為企業的營收會受競爭生態、季節更迭影響，彈性經營是企業存續的重要能力。

可以這樣看，廣告費用雖然占最大塊，其實也最有彈性，不會變成長期負擔；業績較差時廣告少做一點，產品有優勢、競爭者較弱時，多做一點廣告，延續品牌效果。

售後服務也不是固定費用，是介於短期與長期的負擔，初期可能需要規模，產品愈賣愈多之後，這筆負擔會降低，萬一做不下來，還可以借重外力。但是，內部管銷費用是長期的固定負擔，沒有什麼彈性，除非裁員。

如果缺乏經費做行銷，就必須回歸基本面，靠產品創新

品牌新思維

國際化成功的關鍵，在於借重當地資源的能力。品牌商當地化能力愈強，反而愈需要借重當地化的資源，品牌商只要掌握上游、中游的關鍵能力，下游的事情則交給當地合作夥伴做。

及產品競爭力來做口碑行銷，這在初期比花錢更重要。有錢的時候，靠企業形象、通路能力、廣告預算，產品不那麼突出照樣可以做生意；沒錢時，如果沒有產品創新與優勢，根本無法打仗。

宏碁的「小教授」一號、二號，就是小兵立大功的成功行銷案例。當時真是一炮而紅，我們沒有錢，因為產品絕對創新，價格又只有競爭者一半，專業媒體不但大幅報導，還放在封面（「小教授二號」）。

可以這麼說，小公司可以花小錢做行銷，大公司花小錢根本就不可行，長期一定要有適當比例。只是，如果好好運作整合行銷，相對競爭者而言，同一項產品花的比例較少，就是花小錢。

■ 借重當地資源

此外，還要借重當地強勢的配銷商。

這就牽涉到品牌商和配銷商的條件，同樣一塊錢到底是品牌商使用好還是配銷商使用好？

根據宏碁的經驗發現，初期由當地配銷商使用這筆經費的效果比較好，因為在媒體選擇、刊登版面、語言掌握、文化等等，當地配銷商絕對比品牌商懂得多，廣告稿沒有當地

化，就失去效果。

　　宏碁過去鬧過一個笑話，二十年前我們自己在新加坡登形象廣告，就被放在訃文那一版。

　　這就是我為什麼一再說國際化成功的關鍵，在於借重當地資源的能力。品牌商當地化能力愈強，反而愈需要借重當地化的資源，品牌商只要掌握上游、中游的關鍵能力，下游的事情則交給當地合作夥伴做。

　　品牌商選擇什麼媒體，就決定了它想借重哪方面的能力。一般而言，通路做廣告都是從上游往下游開拓。台灣企業在國際化的初期，都是選擇專業雜誌登廣告，對象是經銷商，現在才轉到一般報紙登廣告。

▓ 什麼是好的行銷故事？

　　行銷要成功，必須要會說故事。行銷故事講的是特色，特色的範圍不限於產品。也許最初要訴說產品故事，如蘋果

品牌新思維

行銷要成功，必須要會說故事。行銷故事講的是特色，特色的範圍不限於產品。

電腦；到最後可說的就是生意模式，如戴爾電腦與宏碁。

宏碁的故事傳達了一種衝突點：一家來自台灣的公司，怎麼可能在國際上打出名聲，在競爭激烈的個人電腦產業成為世界坐四望三的品牌？公司、產品、生意模式的差異，都是好的故事素材。

宏碁當然沒有放棄產品的差異，所以投資關懷科技、價值創新中心，是希望能積極在同質性高的個人電腦建立產品差異性，只是這種差異性目前尚並不突出。行銷故事不只要差異，還要能夠突出。

■ 傳遞一致的形象

另一方面，故事背後還要有一致的形象，要不斷支援、強化自己的定位。要讓品牌產生顯著差異性，最好是有故事性、可讀性、曲折性，讓消費大眾對這個差異有印象。這就需要包裝，但也不能過度包裝，還是要貼近事實，否則到最後，太多的包裝反而造成負面效果。

從品牌公式來看，提高定位靠公關比較有效；廣告則有助於知名度，關鍵就在要刺激消費者的選購決定。打廣告跟定位也有關，要傳遞一致的形象、訊息，廣告的品質也非常重要。

廣告絕對不是臨時起意、隨性而為，一定要事先規劃，想清楚你要怎麼樣的廣告、目標是什麼。廣告要有效需要創意，但是又不能脫離既有的形象與品質。創意的目的是留下印象，引動購買欲望，格調和形象不一致，就會有反效果。

媒體的相關報導對於企業與產品定位有很大的幫忙，如果做得對，投資報酬率較高。借重當地媒體的方法，有記者會或一對一訪問等方式。我們一般都會找公關公司做，因為台灣廠商的規模養不起專業的公關團隊；而且，光靠公司內部活動，專業的公關團隊也累積不起太多經驗。

宏碁在台灣是特例，因為宏碁做公關的時候，台灣還沒有專業的高科技公關公司，普通公關公司不懂高科技，我們不得不自己做。所以，現在在台灣從事高科技公關的公司，很多是從宏碁出去。

▓ 選擇門當戶對的公關公司

要注意，公關雖然可以外包，還是需要管理，以免得不到想要的效果。所謂的管理，是指費用控制、選擇正確的媒體、審閱新聞稿等等。

公關公司是不是看重你、替你做最好的安排，你都要很敏感。如果想介入管理，自己也要懂一點公關操作原則，要

把需求、目標講清楚，事後更要追蹤、確認。

在選擇公關公司時，也要有「門當戶對」的認知。規模小的公司找上大公關公司，對方通常不會理你；大公司找太小的公關公司，它根本沒有足夠資源替你做。理論上，品牌商應該跟公關公司長期配合，才能互相了解，產生效果；萬一發現不適合，也要當機立斷換一家。

公關公司可以替你做很多事情，例如找媒體記者開記者會、協辦經銷商會議，或邀請記者專題報導你的公司，還可以在媒體做內文形式的廣告報導，但是要注意避免給人花錢買報導的感覺，這樣的效果較差。

▊ 做好媒體溝通

很多企業負責人跟媒體溝通時，都有「慘痛」的經驗。根據我多年經驗得出，跟國外媒體溝通時要有一個體認，你講的話或發出的新聞稿，在他們看來都只是片面之詞，沒有說服力，除非你事先已考慮過記者關心的議題。

你必須站在媒體的立場，不要以為你講什麼他就有聞必錄，要正面回答記者的問題，還要考慮到他是否了解、也聽得進去。你的資料愈多，或者其他媒體對你的報導愈多，媒體對你的觀感就愈不一樣。

　　品牌初期建立形象（原來不了解），以及在變革時（有負面印象，你希望扭正），都比較難做，需要做好媒體溝通。你必須有個基本態度，認為他不是來找麻煩的。

　　以我來說，雖然我有很多見解、故事也很有新聞性，當然希望國外媒體充分了解、吸收，然後做報導，但是經常事與願違。因為國外媒體對我的背景不了解，再加上我的故事很曲折，跟媒體想像的不一樣，我的答案常常不是他們想要的。如果能克服這些挑戰，我的故事就有很高的可看性，我和媒體溝通，都是在克服這些事情。

　　我個人對記者的問題，也是針對問題說明清楚，即使他想要探問負面消息，我也不閃躲。我們不能逃避，要想辦法讓記者正確定位問題，並了解我們採取的解決行動。我認為，用錢買通媒體無法持久，記者有責任報導真實，我們也要幫助他完成任務。

　　對於已經刊登的報導，如果是非事實的負面消息，我一

品牌新思維

選擇公關公司時，也要有「門當戶對」的認知。規模小的公司找上大公關公司，對方通常不會理你；大公司找太小的公關公司，它根本沒有足夠資源替你做。

定去函要求更正，如果他的論點很離譜，會積極跟他溝通；
但是，如果他是論點主觀但不離譜，我雖然不喜歡也不能太
在意，馬上要求溝通反而讓人覺得你心虛。你必須去想，對
方為什麼會有這種負面觀點，處理時要盡量不留痕跡的去除
誤會的源頭。

先無形，後有形

這是一個無形重於有形的時代，品牌就是其中一個例子；放眼企業對於品牌的追求、致力於品牌價值的提升，不難窺見其中端倪。

企業要能獲利，必須以本身的產品或服務，滿足不斷變化的客戶需求；如果能夠比競爭對手做得更好，就有機會建立有效的進入障礙，甚至強化品牌優勢。

然而，品牌並不僅限於產品本身，企業形象也是一種品牌，並且無論是企業對企業（B to B）或企業對消費者（B to C）的產業，皆可適用；甚至就算是代工，也一樣要做品牌。

在無形中創造價值

但，品牌怎麼做？

我認為，談到品牌，一定要創新！

創新有四種模式：經營模式、產品、行銷服務、供應鏈。經營模式的創新，主要是為了提升企業價值，進而反映到品牌價值，是價值創造到價值實現的過程；產品的創新，有助於品牌定位與品牌知名度的建立；行銷服務的創新，會反映在品牌價值的定位與知名度，進一步展現在企業價值的表現；供應鏈的創新，則有助於降低成本、提升效率，進而創造企業價值、提升品牌價值。

市場是創新的龍頭

在創新的過程中，勢必承擔風險，但市場規模是創新的龍頭，大市場是激烈競爭、不斷創新的動力，才能吸引全球人才、投入更多資源。所以，在做品牌的同時，還必須兼顧創新。只是，在全球競爭的時代，品牌或創新都必須有夠大規模的市場，來平衡或回收因此產生的風險。

台灣品牌先天條件不足，若要全面國際化，首先就要走進中國大陸，就像歐洲小國的品牌，也會以泛歐地區做為腹地。

或許，會有人質疑，為何把雞蛋都放在同一個籃子裡，為什麼一定只能選擇大陸市場？可是，我必須說，大陸市場

可以幫台灣企業練兵，他們擁有相當的市場規模與人才。在大陸市場學習經營大市場的經驗，是在台灣市場上學不到的。

是競爭，更是合作

宏碁的發展歷程，其實是以台灣整體產業優勢打仗，並不是我們自己單打獨鬥；廣達、仁寶、鴻海跟我們之間，乍看好像是相互競爭，但其實也是相互做為對方的資源。打仗，不能只靠自己，要靠整個台灣。

近年來，台灣在推動科技化服務業，包括：流通、金融、健康醫療與品牌行銷。其中，最應該專注開發的核心競爭力，是品牌行銷，以整合台灣擁有競爭優勢的產業，這樣創造出來的效益才會更高、更有價值。

但，「服務業」只是一個觀念、一種思維，各個產業的人，都必須學習、改變，成為廣義的「服務業」。舉凡研發創新、提升附加價值及自有品牌國際化，原本屬於服務業的範疇，是今時今日的各行各業領導人，都必須打破的思想局限。唯有這樣，才能提高企業本身以至於台灣的國家競爭力。

CHAPTER 3

幫品牌實現永續

台灣做代工，成長快、獲利快，
但隨著時間演變，毛利受到擠壓，
生產規模可能反倒變成營運包袱。
但如果要打品牌，又該如何衡量成敗？
答案在於它是否可以為企業創造價值。

第七章

品牌與代工

代工與品牌的衝突，
癥結不在於品牌，
而在於管理。

　　台灣產業的發展，除了服務業是以本土為主要市場之外，需要經濟規模的製造業，一向都以外銷市場為導向。

■ 台商永遠的悲哀

　　早期外商利用台灣廉價勞工來台設廠，憑著優勢的生產條件，再加上政府設置加工出口區、獎勵投資方案等有利條件，台灣製造業基本上都是以外銷市場為主，設計與研發仰賴國外廠商，還沒有思考到自創品牌。

　　有一些以內銷為主的家電產業，如大同、聲寶、東元、歌林等公司，初期多半是靠日本合作廠商的產品技術，然後在台灣本土做產品改良，本質上還是以製造、開發本土市場為主，產生了局限在內需市場的品牌。

　　可以這麼說，加工出口業廠商是以微笑曲線的中間，做為企業的主要活動，內銷家電業則以中間的製造、右邊的品牌行銷，配合一點點左邊的產品改良，做為企業發展的方向。

　　這些公司在80年代，試圖積極進行品牌國際化，幾乎都無功而返。由此可知，打自有品牌雖是大家共同的理想，但是在客觀因素限制下，如產品創新不足、國際行銷能力欠缺，即便具有製造優勢，還是打不出國際化的自有品牌。

　　要做自有品牌，微笑曲線的左右兩邊才是真正關鍵，中

間的製造甚至可以外包。左邊是技術能力、創新能力，使產品具備獨特競爭力，成為品牌的基礎；再加上供應鏈的有效經營、管理（已經接近右邊了），之後再做通路管理、售後服務，而這些環節正好是台灣企業的弱點。

品牌是一個綜合體，綜合產品的價值創造到產品的價值實現，價值鏈裡面如果有一環不及格，便足以全軍覆沒。這恰巧是台商永遠的悲哀，唯一的希望是寄託大陸市場的腹地（宏碁是以歐洲市場為腹地），來解決欠缺大市場磨練國際行銷能力的弱勢。

▊ 當代工與自有品牌衝突時

打品牌首先是產品有創新，還要有一定規模，因創新而可能產生的風險，可以用規模的回收來平衡；有了規模，可以投入更多的資源做研發、運籌流程管理，也才有餘力做接下來的售後服務。具備了規模，強勢的通路才願意配合你，況且，有資源才能有效培養足堪勝任貫穿整條價值鏈工作的人才。

從代工轉型到品牌事業，文化迥然不同。

代工生意的本質是B to B，自有品牌的本質是B to C，生意型態完全不同，管理的文化、經營管理的方式，也有天壤

之別。做代工只要專心做微笑曲線中間的製造，負責一點左邊，完全不必管右邊。

很多人以為，代工與品牌事業的衝突，只是源自於品牌之間的競爭，其實，實際狀況是管理衝突大於品牌衝突。

■ 管理衝突大於品牌衝突

同時做品牌與代工會有什麼衝突？與客戶的品牌在市場價位的衝突，是比較明顯的一種，而且抱怨多半出現在代工委託廠商的基層業務人員，因為代工委託廠商的高階主管在擬定採購政策時，早就知道代工廠商也做自有品牌。

若要有效管理衝突，方法是產品有差異化，並有明確的供貨優先等級，也就是說產品缺貨時，不能只給自己的品牌，而犧牲代工委託廠商的利益。

其次要保護商業機密，這些事情雙方高層應該都已經達成協議，才會委由有自有品牌的廠商來代工。初期有紛爭，都是業務人員業績不好的藉口。

有時，禍端不起於蕭牆內，因為基於保密原則，自有品牌內部業務人員不能隨便亂講話，很多爭議常常是通路散播出去，比如說散布IBM委由宏碁代工的消息，造成行銷末端的業務人員覺得競爭不公平。不過，這是管理通路的小糾

紛，對雙方高層不會有影響。

真正的大問題，是來自自有品牌廠商的內部管理。

做B to B生意的業務人員，一筆生意要談很久，但是數量很大、可以維持很久；做B to C生意的業務員，客戶很多、但量都不大，還要每星期、每個月不斷衝數量，一點一滴累積訂單。B to C得花錢做廣告，收款、庫存等事項，管理起來拉拉雜雜，複雜度遠高於做B to B生意。這兩批人馬在一起，本來就很難融合。

從製造代工或設計加工轉做自有品牌，就算客戶不反對，內部的管理都覺得太吃力，一不小心就爆發衝突。

除了客戶多、訂量少，B to C生意要做的工作多如牛毛，例如：做說明書、型錄、廣告、售後服務等等。到了市場後，還要管第三者的售後服務、管通路，通路商的糾紛也不能置之不理，比如說，你賣東西給同一地區兩家經銷商，彼此價格有衝突時，你都要出面協調。

這些瑣瑣碎碎的問題，跟做代工是完全不同的管理。所

品牌新思維

很多人以為，代工與品牌事業的衝突，只是源自於品牌之間的競爭，其實，實際狀況是管理衝突大於品牌衝突。

以我才說內部管理文化的衝突，遠大於外部衝突，因為B to B、B to C行銷的本質差異太大。

　　就組織架構與規模而言，代工的管銷費用是自有品牌的十分之一，這還不包含海外業務，如果把海外也加進來，自有品牌的管銷費用是代工的二、三十倍。

■ 視自己的品牌事業為代工委託商

　　做代工和自有品牌，有兩個層次的衝突：第一個層次是自己的品牌和客戶的品牌發生衝突；第二個層次是內部管理的衝突。

　　前者的解決方法，可靠兩家公司的高層事先約定，釐清包含智慧財產保密、產品差異化、供貨優先等級、價格競爭力、對外競爭等規定；後者是處理內部的管理衝突，這時公司就需要兩套帳，各分清楚，把自己的自有品牌當成是代工委託廠商之一。

　　為了避免衝突，代工與自有品牌事業的研發工作應隸屬於不同團隊，製造則可合於一體，行銷當然要完全分工，像明基就是由一個品牌總經理管理公司全球品牌的業務。

　　免除困擾的最好方法，還是把品牌事業視為自己的代工委託廠商，交易條件跟外面的品牌商一樣。

　　以上所述都還是有形的問題，無形的文化衝突衍生的問題會不斷出現，也常常似是而非。例如，業務不好的時候，就拿這種衝突當作藉口，也是人之常情。

　　以宏碁的例子來看，缺貨時公司原有一套事先同意的分配制度，但兩邊總是不滿意；產品沒有競爭力的時候，兩邊也會哇哇叫，現在這些問題都迎刃而解。

　　義大利籍的蘭奇接任總經理時曾說，宏碁目前最大的優勢，就是一致對外、內部整合成一組有效的團隊；總部和區域也整合成一家公司，徹底解決跟客戶的衝突以及內部上下游管理的紛擾。

　　我覺得，外部的衝突容易解決，內部的衝突較棘手。過去宏碁、明基爭得很厲害，本來兩家是連體嬰，分割之後，初期一定會有爭執，隨著時間慢慢淡化，大家各自獨立，在市場互較高下。

　　至於總部和分公司的衝突，則是每家分公司都抱怨上繳總部的稅太高，總部又怪罪分公司執行不力。這種爭執永無止境，所以我們現在把總部變成成本中心，成敗就由業務端控制，由他們自己作主。

　　從生意的角度來看，代工和品牌都值得做。

　　台灣做代工的好處是，規模成長快、獲利快、操作簡單；隱憂則是隨著時間轉變，競爭障礙降低、毛利被擠壓，

好不容易建立的生產規模，稍一不慎就會變成包袱，如果沒有適度轉移到新的機會，原來的業務也會變成負擔，這是做代工的宿命。

自有品牌剛好相反，風險高、建置時間長、管理複雜、行銷核心能力較難建立、經營人才培育不易，更重要的是，還必須發展出可長可久的獲利模式，這是相當大的挑戰；但好處是就長期看較能穩定，當然有使命、有知名度，做起來也備感虛榮。

做自有品牌應具備的條件

如果想做自有品牌，需先考慮是否具備以下幾個條件：

一、創新、技術能力是不是領先競爭者？

二、製造與專事設計製造代工的競爭者是否足夠？

三、有沒有一套有效的運籌系統？

四、有沒有能力開發有效的經銷網？

五、有沒有能力建立有競爭力的售後服務網？

六、相對於競爭者，有沒有能力相當或能力更好的國際管理人才，來達成以上的目標？

這些條件當然不是一天就萬事俱備。做自有品牌，當規模還很小的時候，原則上是以產品優勢來競爭，有餘力再慢

慢培養其他的核心能力。如果沒有準備建立這些核心能力來面對長期挑戰，沒有決心承諾要克服所有困難，以及沒有長期支援的籌碼時，都不太適合做自有品牌。

現在做代工毛利愈來愈低，一般約5%～6%；做自有品牌的毛利，戴爾是20%，惠普是12%，宏碁則是11%。宏碁在亞洲、台灣的毛利都是14%，在歐美是10%，因為在歐美我們是透過配銷商，在亞洲則自己做，毛利當然有差別。

宏碁的經驗不太一樣，我們是先做自有品牌再轉做代工。華碩是先做B to B的自有品牌（主機板），然後做B to C的自有品牌（筆記型電腦），再積極推廣代工，跟宏碁的經驗類似。

由代工成功轉為做自有品牌的公司，是明基和巨大。明基是代工起家，初期由宏碁拉拔（宏碁原來也是明基的代工委託廠商），之後又透過宏碁的通路，做自有品牌。巨大是由製造代工轉設計加工，再轉為做自有品牌，利用本身的產

品牌新思維

台灣做代工的好處是，規模成長快、獲利快、操作簡單；隱憂則是隨著時間轉變，競爭障礙降低、毛利被擠壓；好不容易建立的生產規模，稍一不慎就會變成包袱。

品設計能力，開發新材料，慢慢建立品牌。

由代工轉做品牌失敗案例比成功案例多，因為代工都是做了很久，規模大到一個程度，要踏進自有品牌就會受到限制，除非實力很強，否則很輕易就被自己的客戶封殺、牽制（例如抽單）。

客觀的說，台灣現在已經沒有單純的製造代工廠商了。假設製造代工的定義是純代工，並不擁有產品的智慧財產，那麼二十年前宏碁以設計製造代工的型態出現之後，就改寫了傳統的製造代工模式。不光是電子業，台灣其他代工業，如鞋子、衣服、腳踏車等，都早已經轉變成設計製造代工，否則根本活不下去。

■ 國際授權的品牌

除了自創品牌，想做品牌生意，還有另外幾種模式：一種是併購別人的品牌，另一種是租品牌（品牌授權）。這有幾個重點要考慮。

首先，買品牌，也就是併購，必須考慮未來三、五年，不能拉太長，要估計這個品牌到底值不值得用現在這個價位買？有這個品牌對你的價位、數量影響多少？這些因素都要考量，並且跟併購的成本做比較。

　　其次，如果是租品牌，是以某一個百分比的稅率計價，要計算加了這個成本之後，產品是不是還有競爭力？還要去想，原廠是不是設有最低的收費額，使得你必須提高單價，以應付業務量太少時的損失？

　　最後，品牌授權後，原品牌會不會繼續生產相同產品或不同產品？萬一發生衝突時要怎麼管理？如果原品牌是授權多家使用，授權在哪些區域？哪些產品線？這些權利義務都要釐清。授權使用的品牌，法律事務較多；做自有品牌的法律事務也不少，如配銷協議等等。

有效發揮新購品牌

　　併購其他品牌時，需考慮如何有效發揮新購的品牌，其品牌的員工是否繼續留下來？你將如何管理他們？他們穩不穩定？可不可以有效配合？如果要採用雙品牌策略，還要考慮品牌定位差異化，有足夠差異才可用雙品牌。

品牌新思維

除了自創品牌，想做品牌生意，還有另外幾種模式。一種是併購別人的品牌，另一種是租品牌（品牌授權）。

　　我想，在電腦業很難使用雙品牌，宏碁買下德州儀器時，德儀同意讓我們使用他們的品牌名稱兩年，我們一年多就放棄不用，因為兩者品牌定位相似。

　　所以，併購品牌或租品牌時，還必須想到它會變成你的主品牌或副品牌。副品牌的定位未必比主品牌低，主、副有一天也可能易位。除了差異化的考量，還要衡量通路是不是一樣。這些都會產生很大的差異，要談得清清楚楚才有保障。

　　買下一個品牌後，它未來的生命力就全靠你了。如果是授權使用的品牌，就要看彼此如何分工：原品牌公司是不是還負責全球的形象，你只負責本地的形象？或者，你根本不必做廣告，原授權者自己統包一切？

　　做自有品牌時，匯率管理非常重要。設計製造代工的匯率管理當然也很重要，但是基本上只面對一種幣值。做自有品牌要面對更多幣值，匯率管理對經營絕對有影響。宏碁現在的做法，是在報價時用遠期外匯避險，先把合理的匯率保護好。

■ 多品牌、次品牌與共同品牌

　　打品牌有很多模式，單一品牌、多品牌、次品牌等，都是可以使用的工具。

當公司有多項不同產品，而各項產品定位需要清楚分割、讓消費者容易辨識時，就使用多品牌；也就是說，當每個產品有其不同性格時，可以多品牌。

　　但同類產品多不一定需要多品牌，若要訴求不同消費習性或者不同形象，則可以用次品牌。

▍讓品牌產生更大經濟規模與效益

　　使用多品牌的主要原因，是原來品牌要產生更大經濟規模、更大效益時受到限制，比如說，原品牌的產品形象、規格無法打入某些市場區隔，像是高價產品，就要用另一個品牌去打高階市場。不希望因某個產品失敗而影響其他成功品牌時，也可以用多品牌。

　　以可口可樂為例，它還有雪碧、芬達等多品牌，這些品

品牌新思維

當公司有多項不同產品，而各產品定位需要清楚分割、讓消費者容易辨識的時候，就使用多品牌；也就是說，當每個產品有不同性格時，可以多品牌。但同類產品多不一定需要多品牌，若要訴求不同消費習性或者不同形象，則可以用次品牌。

牌產品是為了開拓新市場，滿足不同口味需求，讓消費者有更多的選擇。又如衛生紙，同一家公司有不同規格，如果用同一個品牌，消費者不是買貴就買便宜，心裡難免不舒服，用不同品牌比較容易區分。

非耐久材的消費品，一般可用多品牌；耐久材一般用單一品牌，電腦、家電、汽車等，是以次品牌來支援單一品牌，而不用多品牌。耐久材產品品牌壽命較長，多品牌的消費型產品品牌壽命較短，五年、十年逐漸會被淘汰。

品牌不易建立，也不易借重，即使是同一家公司，不同品牌也很難互蒙其利，能夠借重的是企業形象、通路、運籌機制、管理人才等等共通平台。

寶僑公司最先發展出品牌經理的概念，旗下有幾百個品牌，每個品牌都有品牌經理來管理品牌的形象與業務。如果採用多品牌模式，品牌經理的重要性絕不亞於產品經理。

如果選擇使用單一品牌，有不同產品線、不同市場區隔時，即可推出次品牌。例如，宏碁為了不同的市場區隔，在家用電腦推出 Aspire 次品牌，商用電腦則推出 Veriton 次品牌。

至於不同產品線，除了桌上型電腦用宏碁自己命名的品牌之外，另推出 Travelmate 的筆記型電腦、Altos 的伺服器等次品牌；Travelmate 是原德儀的次品牌，而 Altos 是併購來的公司名稱。

區分次品牌與多品牌

區分次品牌和多品牌，要看這個品牌在推廣之際，有沒有提到主品牌；不提主品牌，就是多品牌。Lexus不提豐田，這是多品牌策略；如果是次品牌，一定會看到主品牌。

單純的單一品牌並不常見，汽車通常用編號來解決品牌問題，像是BMW、賓士都用編號區隔，而不用多品牌或次品牌；只是，編號到最後也必須有差異化區隔，三、五、七慢慢可以視為一種次品牌。

為什麼要用次品牌，不用多品牌？除了考慮市場區隔，也因為主品牌是消費者購買時的主要決定因素，次品牌等於只是產品定位，主要目的是讓消費者容易辨別。

那麼，為什麼不乾脆用主品牌？原因是任何品牌都有其局限與包袱，推出新產品時，如果希望能突破主品牌的限制，用不同定位的次品牌比較有效。

品牌新思維

區分次品牌和多品牌，要看這個品牌在推廣之際，有沒有提到主品牌；不提主品牌，就是多品牌。Lexus不提豐田，這是多品牌策略；如果是次品牌，一定會看到主品牌。

　　新產品推出之後，還是要靜觀其變，在適當時機決定要用多品牌，還是名正言順的當次品牌，或者是準多品牌，例如宏碁的Travelmate、Aspire在美國剛推出時以「準多品牌」的型態考量，不強調主品牌Acer，只加上「by Acer」；不過經試驗評估之後，決定以次品牌來定位。

　　總而言之，使用品牌的策略跟市場區隔、產品區隔都有關係。如果次品牌名氣大過主品牌，可以利用次品牌的高知名度來強化主品牌。

　　二十年前，拿破崙電視的知名度就蓋過聲寶電視，這時聲寶電視應該強調「聲寶拿破崙電視」；如果拿破崙對聲寶的其他產品沒有任何好處，就讓拿破崙變成多品牌，或者是準多品牌。

▍共同品牌的合作與分工

　　除了多品牌、次品牌之外，還有一種共同品牌（co-brand）。兩種不同品牌有合作關係，進而產生共同品牌，既然是合作，就一定有分工，宏碁的法拉利電腦就是很好的例子。

　　宏碁是法拉利的贊助商，法拉利是宏碁資訊產品的客戶，原本就有合作關係。雙方在這個共同品牌產品也有分工，宏碁借用法拉利的顏色、標誌與品牌形象，自己則提供

產品、經銷管道與售後服務。

雙方在這個分工約定的範圍內彼此合作，所有跟法拉利相關的廣告、產品、活動，都要徵得對方同意；凡與法拉利相關的紀念品，都必須向它採購，不能自己做，連手提袋都還是跟它授權的廠商購買。

▦ 使用品牌的策略

要使用多品牌、次品牌或單一品牌，需考慮幾個因素：

一、產品屬性是耐久材還是消費材。

二、塑造一個品牌吃力不討好，非必要盡量不要做多品牌。品牌不僅要照顧，有意願、能力，還要能長期照顧。沒有準備照顧、沒有能力照顧的話，不如不要生。

三、保護品牌的法務成本很高，國家愈多愈難管理。因此，新創一個品牌所產生的管理費用相當高，若無法長期承諾這筆費用，也不必去做。

> **品牌新思維**
>
> 衡量品牌成敗的指標，就在於它是否可以為企業創造價值、創造利潤。

　　四、品牌從命名到經營，要考慮它的定位問題，我反覆強調品牌最重要的就是定位，知名度反而是靠日積月累。長期、一致的定位，是品牌策略成功與否的關鍵。

　　衡量品牌成敗的指標，在於它是否可以為企業創造價值、創造利潤。如果這個品牌過去一直都能賺錢，即表示成功；如果現在還不賺錢，就該考慮這筆投資是否有效，未來能不能回收？因此，品牌的成敗，最後還是要回歸到能否為企業創造價值、獲利。

　　其次，評估未來利益時，必須考慮品牌的重製成本，其他產品若能從這個品牌獲利，就表示這個品牌還是有價值。衡酌品牌效益，要有算總帳的概念，時間要拉長一點，五年是一個參考指標。不計代價塑造品牌，絕非好策略。

▌思考退出策略

　　在塑造品牌時，即使再不情願，還是必須思考退出策略。一般而言，次品牌退出很方便，並不會影響主品牌；多品牌要退出，如果是從所有產品研究發展到製造、行銷都整合作業，要放棄多品牌或次品牌，不會有太大的傷害。

　　比如說寶僑，這家公司的名字一般人或許不熟悉，但它轄下有許多大品牌，如：歐蕾、幫寶適、潘婷等等，寶僑不

斷生新品牌，也不斷讓品牌功成身退。品牌壽終正寢之後，墓碑上還會刻著它對公司貢獻良多。

多品牌本來就是為流行性的消費品而設計，該功成身退就退、該夭折就夭折、該壯烈成仁的就成仁。主品牌原則上不能退出，除非是不能使用。

最後，我要分析三個台灣品牌的成功實例：軟體業的趨勢科技、食品業的康師傅，以及腳踏車業的巨大。

■ 台灣成功品牌故事之一：趨勢科技

趨勢科技能成功在軟體業打響品牌，最主要的原因是它占有率極高。趨勢在所屬產業裡，只有兩、三個競爭者，再加上它起步早，擁有很高的市場占有率。

趨勢雖然不是一個知名度很高的品牌，但是品牌價值很高。占有率高表示它的定位很好，定位利益是別人的五倍、十倍。定位在先，占有率在後，占有率會提高知名度，增加

> **品牌新思維**
>
> 品牌最重要的就是定位，知名度反而是靠日積月累。不論使用哪一種模式，長期、一致的定位，是品牌策略成功與否的關鍵。

品牌價值。

值得注意的是，高科技業有個宿命：現在的產品不能保證未來繼續會有占有率，但是要開發新產品又有極限，就像現在英特爾要開發新的CPU開始碰到瓶頸。因此，趨勢未來的挑戰，在於如何借重它的品牌擴張到其他產品線，當然原來的產品還是要一直提高性能，保持原本的市場優勢。

只是，擴張的產品線也不宜過度多元化，否則很難管理，一條平庸的產品線，甚至會傷害原本的品牌價值。

顯而易見的是，趨勢品牌能做的產品線也不多，因為品牌的應用度、擴張性都有限。

趨勢的定位就是防毒，它的區隔很強、關聯性低，無法借重到其他產品線，很難說服別人它的品牌走到哪裡都吃得開。就算是軟體電玩遊戲也很難跨過，除非是跟防毒有關的電玩，比如病毒傳播與解毒大戰，這是有可能發展的產品線。

我認為，接下來趨勢的產品可能會發生典範轉移，防毒軟體已經不是產品型態，而會走上服務型態。這雖然表示趨勢會有很多新機會，卻也出現更多新挑戰。

■ 台灣成功品牌故事之二：康師傅

食品業的康師傅，很早就到大陸，掌握了市場機先；加

上它的產品有些獨特性，融合地方需求的口味，因此建立了經濟規模。

康師傅的品牌成功，還是靠產品創新以及利用通路管理與塑造品牌形象，產生了市場占有率。康師傅這個品牌的應用範圍很廣，舉凡食品有關的產品線都可以做。

我相信康師傅的成功是在經營的知識，他們特別請了生產力中心培訓人才，經營實務具優勢是它在大陸成功的關鍵，因為台灣的經營能力遠優於大陸企業。

這個品牌未來的擴充性很大，挑戰則是它在台灣的強大競爭者統一企業也要搶灘大陸，大陸本地企業也虎視眈眈趁勢崛起。

台灣成功品牌故事之三：巨大機械

巨大機械的捷安特是台灣少數反攻到歐美主流市場的成功品牌。在我看來，巨大的成功源於碳纖越野車的創新，讓它一舉成名。

捷安特在歐洲的行銷通路很穩定，此外，它的競爭者雖然有品牌，但是產品沒有競爭力，所以它在早期可以把品牌定位定得很高。它一方面有產品優勢，產品做到世界最好；一方面價格很有競爭力，也懂得運動行銷，這一切優勢都讓

它的品牌占盡優勢。

　　巨大的成功，有努力也有幸運，它的努力人盡皆知，無需贅言；它的幸運則是，在後進國家的競爭者，少有像它集設計與製造能力於一身的自創品牌，而先進國家的品牌產品又沒有競爭力，所以它在國際上簡直沒有競爭者。

　　巨大品牌唯一的挑戰，就是品牌擴張性很低，無法高度成長。它現在要追求的是繼續開拓占有率，提高毛利、創造利潤。

第八章

宏碁與明基的品牌故事

小舞台也可以打品牌，
關鍵不在於規模，而在於產品特色。
所謂特色，則來自創新與競爭力。
品牌定位不理想，就沒有品牌價值。

　　宏碁和明基這兩家在國際上已小有名氣的公司，經營品牌有豐富經驗，對於有志勇闖品牌路的台灣企業，有許多值得借鏡之處。本章我就以過來人身分，詳談這兩個品牌發展的歷程，供大眾參考。

　　宏碁原來的英文名稱是Multitech，1976年成立的第一天就有打國際品牌的企圖心；受制於有限資源，只能以貿易及顧問的業務為主，到了1981年推出自己的產品「小教授」，才正式實現以自有品牌行銷國際的心願。

　　在沒有自己產品之前，我們當時最想做的，是為台灣的電子製造商做國際行銷、打品牌，只是我們沒有任何條件，不但缺乏資金、經驗，更沒有控制權，別人都不想搭理。

　　想當初我們為誠洲電子設計CRT終端機，合約都還保有替它用品牌外銷的權利，後來誠洲設計加工做得很大，我們不能誤人，於是主動放棄。

■ 台灣產業的兩難

　　說來有趣，宏碁的發展是從服務業轉為製造業，後來又從製造業轉型為服務業，現在回想起來，覺得這段歷史非常有意思。

　　宏碁當初有心打穿產業下游的自有品牌行銷，只是這條

路很不好走。還好，宏碁雖然有可能變成一個成仁的案例，終究沒有「成仁」。事後覺得這條路還是該堅持，只能量力而為慢慢行，逐步累積經驗、資源，最後總會走出樣子來。

　　宏碁、明基目前的規模就是這樣逐漸底定，雖然比起台灣整體經濟規模，我們相對還不夠大。在台灣電子產業，設計製造代工占總產值的九成到九成五，品牌產值只占5％～10％，如果說品牌營收未來能夠占三到五成，當然更理想。

　　不過，這就像把兩面刃，品牌產值如果占到三成，便會威脅設計製造代工。

　　一如宏碁當年做品牌，就影響到自己的設計製造代工業務，國外品牌商在還沒有很多設計製造代工供應商時，宏碁業務一直維持兩者各占五成的均勢，直到最後出現競爭者，產生問題，才打破這個「恐怖平衡」。

　　宏碁的經驗，如實反映了台灣產業的兩難：自有品牌太強，會威脅設計製造代工；畢竟，設計製造代工目前還是產業的命根，無法忽視，就算未來十年還是要靠它。

　　設計製造代工一定要專注，競爭又激烈，設計製造代工公司要做品牌必定會分心，文化又不同。唯一的辦法，就是多一些像宏碁這樣專業的品牌公司，在未來慢慢能做到跟國際品牌平起平坐，不受制於跨國企業，能夠產生一些制衡力量。

　　2005年，華碩也終於做出決定，將代工跟自有品牌業務

策略性分家。

▇ 小舞台也可以打品牌

宏碁很幸運，推出第一個產品「小教授」即一炮而紅，原因是產品有利基市場，也就是教育市場。

類似的產品電腦學習機在市場已有五年以上歷史，價位大約在三百美元左右，「小教授一號」的價格降到一百五十美元以下，性能又比較好，在教育利基市場很容易名馳全球，業務飛快成長；再加上品牌創新形象佳，品質也很好（由台達電代工），建立良好的基礎。

「小教授一號」的利潤很高，毛利在三成到五成，淨利也有一成以上。宏碁做了那麼久的個人電腦、營業規模也不小，利潤都沒有這麼穩定、這麼好。

「小教授」的成功印證了一個道理：打品牌，規模不必大。像Cross筆只有一億美元的規模，比起其他大品牌只是戔戔之數，品牌價值卻很高。

規模和品牌之間的關聯，要分實際規模和相對規模來看。以巨大腳踏車為例，巨大不大，但是在那個區隔市場裡它很大。因此，重點不在規模大小，而是你在所屬的區隔市場裡大不大，「小教授」在自己的市場裡就很大。

　　另一方面，有些市場天生就很小，像電腦產品跟腳踏車就不能比。大小是相對的，重要的是在自己所屬的市場區隔裡，相對而言不能小。

界定自己的品牌舞台

　　打品牌可以自己界定舞台，規模小的時候，要自己去界定小的舞台。在小舞台上，你雖然小，還算是一個角色。自己明明很小，偏偏要去打大舞台，成功機會當然渺茫。所謂的小舞台有兩種，一種是指新產品的初期市場，另外一種是指在成熟的大市場中找到利基市場。

　　不同的是，在成熟產品找到利基市場，相對而言可以比較穩定，因為大公司已經確定看不上這塊肉；新產品的初期市場則較不穩定，但是它會持續成長，成長就會吸引很多新的競爭者，此時就要有打主流戰的準備。也就是說，在利基

品牌新思維

規模和品牌之間的關聯，要分實際規模和相對規模來看。以巨大腳踏車為例，巨大不大，但是在那個區隔市場裡它很大。大小是相對的，重要的是在自己所屬的市場區隔裡，相對而言不能小。

市場領先之後，一定避不掉主流戰。

打主流戰跟打利基戰完全不一樣，如果沒有掌握好打主流戰的經營能力，就會遭逢危機。美國很多電腦公司最後都以失敗收場，就是因為他們很會打利基市場，卻都在主流戰場上敗陣而歸。

■ 打品牌的使命感

宏碁在利基市場打贏，後來還能在主流市場存活下來，主要是因為氣長。

氣之所以長有幾個原因：第一，我們有長期作戰的決心，就算吃苦也願意打，美國公司吃了苦頭就棄守；第二，我們管銷費用相對較低；第三，我們有韌性、彈性，在困難的時候可以調整策略，消耗較少的體力；第四，使命強，留著 Acer 這塊國際招牌，對很多台灣人意義重大。

美國人連康柏公司、IBM 的個人電腦事業這些大牌子都可以不要了，當然氣不長。

另一方面，台灣打品牌經常受個人主義驅使，是 CEO 或高級幹部的理想或企圖心使然，不到最後關頭絕不棄守。美國人打品牌，本來就是他的工作，品牌是他們的一種工具，打不下去可以放棄，沒有愧對使命的問題。

這其中還有文化差異，美國人打品牌很自然，沒打才怪，美國的企業文化認為代工沒有出息，在台灣是認為打品牌不要命，兩邊文化相差十萬八千里。

宏碁的品牌路

我一直強調，打品牌關鍵絕對不在規模，而是在產品特色，特色來自創新、有競爭力。產品有特色，再加上有行銷能力，才是品牌成功的兩大要素。

宏碁的行銷能力是透過付學費逐步學習來的。通路的管理，從過去的透過進口代理商，到現在發展成自己擔任進口商，親自面對經銷商、零售商；接觸的廣告商與媒體，也從過去的專業媒體，到現在直接面對最終消費者。

所以我說，宏碁成立的第一天，就有品牌管理的觀念雛型。我們設置一筆行銷發展基金，補貼經銷商做廣告，還要求這些廣告必須符合宏碁的基本要求。當時規模小，不可能

品牌新思維

打品牌關鍵絕對不在規模，而是在產品特色，特色來自創新、有競爭力。產品有特色，再加上有行銷能力，才是品牌成功的兩大要素。

用太複雜的系統來管理品牌，直到1998年王文璨由歐洲調回總部負責行銷之後，才引進一套複雜的品牌管理系統。

宏碁應該是台灣第一家「來者有拒」的外銷公司，我們會「挑」門當戶對的經銷商，不是說有訂單、想跟我們買，我們就會賣，這也是品牌管理的重要概念。

品牌不只是互通有無的貿易，更要注重行銷、形象，雖然有很多代理商想代理宏碁產品，我們卻精心挑選，原則是對方必須有意願長期替宏碁打品牌，還要有技術能力能為我們做售後服務。

這些觀念現在看起來都很普通，但是在二十幾年前卻很先進。我們甚至遠赴海外實地考察經銷商，要知道他們賣什麼產品、背景如何，還要實際面談。宏碁跨入電腦業之後，依舊跟很多當初代理「小教授」產品的經銷商繼續合作，只是隨著公司規模變大，從獨家代理變成非獨家代理。

宏碁品牌是這樣發展的。

▋ 從利基市場慢慢進入主流市場

我們從利基市場慢慢進入主流市場，做個人電腦初期也是在利基市場。時間拉回1986年之前，做電腦的廠商雖多，但是做相容電腦的業務方興未艾，康柏1982年率先推出相容

電腦，宏碁則在次年底加入，在全球算是領先，因此可以打入利基市場。

宏碁的產品是開拓IBM賣不到的市場，比如說IBM打進台灣的大企業，宏碁就走進中小企業市場；又如IBM興趣缺缺的拉丁美洲小國家，也是宏碁的利基市場。可以這麼說，電腦雖然已經是主流產品，但是主要品牌商還沒有打到的市場，都算利基市場，就有揮灑的空間。

正因為我們在利基市場打出名堂，才會有1986年的「龍騰國際，龍夢成真」，決定大規模打出戰場，引起美國做數據機的Multitech公司注意，禁止宏碁產品在美國販售。我們後來才發現，不只美國，荷蘭、德國等全球各地幾乎都有Multitech，於是決定改名，1987年9月正式改名Acer。

重新命名時，當然不能再有tech的品牌，我還記得，在Multitech時期，我們跟Microtech都設在科學園區，展示會上也彼此相鄰，有一本德國雜誌把我們的產品誤植為

品牌新思維

宏碁應該是台灣第一家「來者有拒」的外銷公司，我們會「挑」門當戶對的經銷商，不是說有訂單、想跟我們買，我們就會賣，這也是品牌管理的重要概念。

Microtech，結果訂單都跑到他們那邊去。

這表示有tech這種名字的公司太多、不夠獨特，當有機會改名字，我們毅然決定放棄這類名字。

由於有過去命名、CIS的經驗，在建立Acer這個品牌時，我們事先就有很多想法，包括名字只要四、五個字母，兩個音節。本來要用m開頭的字母，透過電腦掃描，找出兩萬多個字，尋尋覓覓都沒有適合的。

這個案子是找奧美合作，我們每想到一個名字，便透過奧美去查是否有同名的公司。

奧美在台灣的藝術總監是澳洲人，他偶然在拉丁文字典裡找到acer這個字。Acer這個字很容易就會連想到ace（好球、一流），查證之後，發現沒有同名的公司，立即決定採用。

我們事後又發現，acer的拉丁文是很有活力、很有精神的意思，更覺得這個名字取得恰到好處。1988年我到摩洛哥開經銷商會議，在街上發現有acer，才知道原來這也是一種槭樹的學名。

因為時間有限，奧美物色了一位曾經為澳航設計標誌的澳洲設計師為宏碁設計標誌。一般標誌的設計時間，短則半年、長則一年，由於時間緊迫，我們只給他一個月。設計之前，他和我們深入訪談，了解我們的目標、文化與需求，甚至還研究了競爭者。

　　他設計出一百多個樣式，篩選剩下七、八個，再找公司員工投票選出最後三個，然後根據大家的意見修改，終於拍板定案。我們稱這個圖案叫箭頭，因為有菱形，也叫「diamond」，當時的想法是要有科技感、速度感。

▓ 新標誌定案

　　宏碁現在又換了新標誌，更改的原因有幾個：一、科技的訴求已轉為軟性，原來的標誌太硬；二、原有標誌在應用時常常無法標準化；三、標誌原本的紅色、藍色已顯老舊。

　　我們在1998年決定更改標誌，最初是找一位從知名商標設計公司Landor出來的設計師做，進行將近一年，覺得不滿意，放棄重來，還是回頭找Landor公司，花了一百萬美元，歷時一年完成。

　　我們最初就選定綠色，因為綠色給人的感覺比較軟性；acer也改用小寫，曲線的稜角都修掉了，變成柔軟的圓弧造形。

　　後來有人笑我們是因為政黨輪替才改成綠色，真是誤會一場。因為我們早在2000年3月之前，就已經確定、設計完成，只是當時公司營運狀況不好，沒有信心，擔心換標誌茲事體大，才延到2001年正式更換。

　　新標誌正式定案之前，我們已經選定全球三個地方做焦

　　點團體訪談,由專業公司主持。我親自參加台灣那場訪談,我們找了七、八個目標客戶,問他們對新標誌的看法,我則坐在鏡子後面仔細聆聽。

　　這次還同時推出VI,找了澳洲一家公司設計,我們的說明書、廣告稿都會有一個圓框,那就是宏碁的VI,這個圓框是字母e的曲線的一部分,內部同仁稱之為「e窗」。

　　宏碁這些經驗,之後很快全面複製到明基,而且做得更好,稍後會談到。

　　總體而言,宏碁的品牌發展模式,初期是利用產品特色、公關以及好的合作夥伴來建立。所採用的公關策略是我所稱的「窮人行銷法」(poor man marketing),不論是在管理或國際化,訴求都是來自台灣的高科技品牌,這些都是窮人行銷的元素。

　　要用這種方法,一定要讓媒體對你的產品發生興趣;再加上宏碁跟當地的合作關係,絕對比美、日企業更密切,因為我們姿態低,經銷商向心力很強。

■ 宏碁的品牌策略

　　大多數產業都按照這個模式發展,電腦業、半導體也不例外:產品發展初期,用垂直整合模式進行,因為規模小,

況且從技術到市場上中下游的分工不成熟，不易貫穿，所有活動都在一家公司內整體運作，一旦產業規模愈來愈大就開始要分工。

趙耀東先生在擔任經濟部部長時，就大力呼籲產銷分工，到了今天，已經不再只是產銷分工，連產品都有很多分工，行銷也不例外，有的只管品牌，有的只管通路。

▍產銷分工

我常常說，宏碁是最後一個產銷分工的國際品牌，因為其他的電腦品牌早就分工了，IBM、惠普愈來愈多外包，戴爾更是百分之百的分工，宏碁如果還是什麼都自己做，不願外包，將顯得落伍而沒有效率。

電腦這一行，如果不做產銷分工，競爭力必然不足。原因有二：一、無法專注管理；二、外包之後，產品競爭力較強。以前宏碁只靠內部資源打仗，現在則靠整個台灣資源打仗。

產銷分工還有一個好處，過去因為垂直整合常常造成產

> **品牌新思維**
>
> 以前宏碁只靠內部資源打仗，現在則靠整個台灣資源打仗。

銷內部衝突，透過外包機制，這個衝突就自然不再是衝突，減少許多管理上的內耗；更重要的是，如果有機會擴張業務，可以降低許多風險。

因為靠自己做，業務成長時必須設廠因應，這就是一種風險，擴廠也有很多管理問題；此外，分工可以快速擴張產品線，不必負擔新投資風險，也無須建立新的核心能力。因此，做一家專業行銷公司相對較有競爭力。

要做到這個地步，還必須有個條件，那就是產業本身的垂直分工很有效。產業要有效垂直分工，就必須標準化、模組化，才可以做到完全的產銷分工。

產銷分工的主流公司，是掌握微笑曲線的左右邊，而且左邊掌握的只要關鍵的部分，也就是跟右邊關聯性較大的能力，像是應用、市場行為的研究發展等等。

宏碁已經變成一家專業的品牌行銷公司，相對於競爭者，宏碁的核心能力在於有效的供應鏈管理，因為我們身處台灣，跟設計製造代工廠商接近。

其次，在管理供應鏈時，每天都要處理許多枝枝節節的小問題，宏碁的資訊系統、人才都有能力處理，可以做到每天調整，競爭者未必有這樣的條件。

宏碁的商業模式直接降低了很多管銷費用，管銷費用低且有效，是我們第三個核心競爭力。

在人才方面，很多公司都感嘆缺人，宏碁只缺高手、不缺人，營業額目標雖然要成長30％，組織卻還在縮編。

話說回來，我經常感嘆，美國的人才管理和台灣不同，美國問題不在開發人才，而是組織人才；台灣問題是開發人才，因為人才不夠。但是，要有效快速掌握大市場，還是要靠組織人才。

▌「你丟我撿」策略

英特爾在2005年初，進行組織大改組，印證了宏碁很多做法都走在潮流之前，也就是光靠科技已經不足以保持領先，必須轉型為市場導向。

六、七年前，宏碁已經體認到，科技將無法提供足夠的差異化，必須走向市場。

宏碁目前的策略是「你丟我撿」，目標放在個人電腦市

品牌新思維

做自有品牌之後，更重要、也更符合知識經濟本質的策略，就是做輕資產的產業，我稱之為asset light；或者更極端的說，就是無資產的產業，亦即不需要投資、只靠腦袋，這是未來產業的關鍵。

場每年有兩千億美元以上的規模，別人丟了我們就去撿。首要任務是不分心，在這個領域裡，每年多占1％的市場，就多出二十億美元以上的收入。

多元化大公司最大的困難是看不上毛利低的事業，這些事業反而成為我們的利基。

我不諱言，台灣現在產業也都是「你丟我撿」，半導體也是美、日企業沒有競爭力了，我們才撿起來做。這是正確的策略，但是要專注，撿好的來做。

▦ 轉到輕資產的路

做自有品牌之後，更重要、也更符合知識經濟本質的策略，就是做輕資產的產業，我稱之為 asset light；或者更極端的說，就是無資產的產業，亦即不需要投資、只靠腦袋，這是未來產業的關鍵。

從另外一個角度看，宏碁真正是台灣知識經濟的先鋒，是一個成功的新模式。我退休後成立的智融集團，主要任務就是減輕宏碁的資產，因為過去投資過度，宏碁根本不需要那麼多資產。

台灣經濟要慢慢轉到輕資產這條路，絕對是十年以上的工程，今天不做決定、不開始慢慢轉，將會損失慘重。

　　或許有人認為我危言聳聽，從過去的經驗來看，我講的話總是會在幾年之後發生。1997年我提出XC（專用電腦），大家還覺得不可思議，現在到處都是XC的概念，將成為個人電腦之後許多新主流產品。

　　我是走在浪潮之前，先做洗腦工作，要讓大家知道這是未來，先有一些概念，等機會來了，就可以順勢轉過來。

▊ 宏碁的品牌優勢

　　宏碁經營硬體資訊產品的品牌優勢，在於跟全球相關產品的設計、製造基地關係緊密，可以有效借重。

　　第二個優勢，則是當微利、奈利時代來臨，未來能擠出「果汁」的企業愈來愈少，尤其歐美公司有其先天條件的限制，無心也無力，日本公司有心無力，因此宏碁有很好的機會成功。

　　宏碁品牌定位專注在資訊硬體相關領域，主要的策略思考，還是我們在資訊產業市場裡是領先品牌，位在準第一領先群（2004年第四季，宏碁全球排名第四，我認為第三名才算第一領先群）。如果把宏碁定位在消費性電子產業，馬上就被打到三流。

　　因此，利用宏碁在資訊市場一流的品牌形象，再借重它

全球設立好的通路夥伴，就可以帶動更多資訊相關產品。

▋ 通路與產業界整合的挑戰

不巧的是，宏碁最大的挑戰正出於此。

資訊產業發展到最後，會有一塊很大的市場，也就是數位家庭產業，在這塊領域，我們的競爭者很多，而且原來的消費性電子產品品牌更有競爭優勢，例如原有的品牌形象、AV 的知識、技術，這些都是資訊公司所缺乏的關鍵能力。

在服務網方面，數位家庭的需求可能比電腦更高，消費性電子產品公司的服務網比資訊公司的更完整。

至於通路端，誰輸誰贏還很難講，消費性電子產品公司既有的通路可能是優勢，也可能是絆腳石，到最後，消費性電子產品通路的有效性將與資訊通路的有效性決戰。

未來數位家庭產品怎麼賣，可能是在目前消費性電子產品的通路，但 CE 通路的毛利潤需求比資訊通路毛利潤高，因此可能較缺乏彈性。當資訊的通路揮軍進入數位家庭產業時，可能會帶動降低利潤、庫存降低、更具彈性速度的模式，將嚴重挑戰 CE 傳統通路。

宏碁另外一個挑戰是業界的整合，未來三年對宏碁非常關鍵。宏碁目前已經是贏家，但是還不夠，必定要變成具有

支配力量的絕對贏家（dominate winner）。

宏碁原本有信心在2007年擠進世界前三強，不料聯想買下IBM，因此多出一個艱困挑戰 —— 時間的挑戰。聯想未來一定會死守第三名，宏碁如果要在三年內擠進前三名，現在就要提出新策略來因應這個變局。

宏碁品牌對台灣的意義

宏碁的品牌經驗對台灣有好幾個意義。

一、目前台灣資訊產業打品牌的公司，幾乎都是宏碁訓練出來的人才，華碩、明基都有宏碁的影子。宏碁經驗可以為台灣未來找到更對的模式，這些人才也絕對會為台灣品牌找到有效的出路。

二、宏碁品牌最近的成功以及明基快速的崛起，具有鼓勵作用，讓大家有信心，台灣企業絕對可以打國際品牌。

三、宏碁的成功，對台灣國際形象有很多幫助。

> **品牌新思維**
>
> 下游的能力對上游的投資是一種保護，而掌握下游的公司可以借重別人的力量，讓它為你承擔上游的風險。

　　四、為台灣發展下游關鍵能力，部分解除上、中游產業的未來隱憂。目前許多產業都是全球分工，但美國企業寧可放棄中游、上游，誓死都不放棄下游，或者最關鍵的上上游；如何掌握下游，對台灣經濟日趨重要。

　　掌握下游的關鍵，就是當地化的能力，台灣因為市場太小，先天欠缺掌握下游的能力。宏碁經營下游的經驗，如果能夠為台灣走出一條路，我們就不會任跨國企業宰割。

　　宏碁集團過去發展的策略是希望從下游一直走到上游，上游都是技術密集、資本密集，如果沒有下游，上游的風險就很大。以台灣為例，上游的面板可以做，是因為有下游的筆記型電腦、監視器產品；半導體產業亦如是，當初宏碁進入DRAM，也是因為台灣需要。

　　因此，下游的能力對上游的投資是一種保護，而掌握下游的公司可以借重別人的力量，讓它為你承擔上游的風險。

快樂科技 BenQ

　　明基有很多宏碁的影子，但走的路和宏碁不完全一樣。

　　本來明基與宏碁共用Acer品牌，產品分別負責周邊與系統，兩家獨立公司共用同一品牌，運作上牽制很多。

　　宏碁2001年啟動世紀變革，專注品牌行銷，明基則在

2001年底正式宣布另創獨立品牌BenQ，因為完全獨立，其活動空間就不受限制，但是，它還需要把過去宏碁那一塊的無形資產轉移過來。

在分割、轉移的過程中，很難讓雙方都滿意，競爭勢所難免。

雙方約定明基不得再使用Acer標誌，但同意以一年為期，他們的廣告可說明明基原來是 Acer CM（Communication & Multimedia）公司（Acer以字母表達，不得用標誌表達）。不過，後來明基經銷商還是借用宏碁的標誌，甚至到最後謠傳Acer即將消失，已改名BenQ，雙方更是吵成一團，衝突白熱化。

■ 分家決策

看到這種情形，當然有人會質疑，這樣變革到底對不對。我想，任何一種變革一定都有觸發點，明基要另立品牌，是因為宏碁經營面對挑戰，成敗不定。

> **品牌新思維**
>
> 品牌定位不理想就沒有品牌價值，產品多對品牌定位不見得有利，除非所有產品都可以加分。

　　原本希望兩家公司共同推一品牌，整合力量大，但是明基愈來愈強，宏碁也有自己的路要走，照顧不了明基原有的產品線。我們發現，用原來的架構只會徒勞無功，於是尋求變革。明基內部也不是沒有掙扎，在權衡利弊、考慮長期發展之後，還是覺得長痛不如短痛，做出分家決策。

　　這當然也跟我的品牌公式思考有關。品牌定位不理想，就沒有品牌價值，產品多對品牌定位不見得有利，除非所有產品都可以加分。我相信，分成兩家公司，彼此定位不同，發展的方向也南轅北轍，分開只是短痛。

　　變革必須有信心，信心則是來自有經驗。不只是決策者要有信心，所有相關者也要有信心、願意承諾。

　　分家這件事，明基高階主管不知道開了多少次會，最後才下定決心，李焜耀以及其他很多主管都有信心、願意承擔。通過這一關，變革就完成90％。

　　我不諱言，決定變革後的一年，公司雜音非常多，爭得很厲害。事後分析，這個變革很正面，這也就是說，沒有變革我們就沒有辦法突破。

■ 明基的品牌路

　　比起宏碁走過的路，明基的品牌路顯然少了很多坎坷。

明基最初曾思考是否自己做品牌，共用Acer時，也曾以監視器產品用Vuego當品牌，但規模太小並不成功，我希望他們放棄使用，這個經驗成為日後脫離宏碁變身明基的參考。

分家之後，明基一方面是手上已經有業務、也有通路，更重要的是有了具經驗的人才。宏碁在總部打品牌的主力，後來全部移師明基，有過去品牌轉換以及全員品牌管理的經驗，加上明基沒有包袱，品牌能更有效建立起來。

明基的成功，跟品牌管理很有關係，BenQ也是四個字母、兩個音節，CIS找的也是Landor公司設計，經費同樣一百萬美元，因時間緊迫要求在半年之內完成。

CI確定後，明基馬上著手設計VI，BenQ就以蝴蝶做VI的元素，比宏碁的「e窗」更具變化性，也更豐富、應用更廣，顯示宏碁的VI實務經驗對明基的運作有助力。

另外，2004年明基贊助歐洲盃足球賽的行銷專案，借重的也是宏碁當初贊助亞運的經驗，執行者也是宏碁原班人馬。可以這麼說，如果沒有宏碁過去的經驗，花再多錢效益

品牌新思維

明基品牌的發展策略跟宏碁最大的不同，在於明基是以製造為思考模式的品牌，宏碁則純粹以品牌行銷為思考。

都有限。

　　明基崛起，宏碁人點滴在心頭，還是要把不舒服的情緒壓下去。對宏碁來講，知名度已經不重要了，它已經有相當程度，宏碁現在追求的是實際利益，致力品牌長期發展的管理策略，不至於隨明基起舞。

　　客觀來看，就塑造品牌的成果評斷，明基絕對青出於藍。宏碁早期是用窮人行銷法發展品牌，明基則花很大的資源快速建立品牌，因為它既有的製造規模很大，競爭者多，不得不加速建立品牌。

　　發展品牌最重要的就是面對現實，要考慮本身的背景、客觀環境，不能太理想。明基的背景有基本條件可以打品牌，而且未來也有強烈的需求，再加上資源、經驗都夠，效果自然好。

▓ 兩種模式

　　明基品牌的發展策略，跟宏碁最大的不同，在於明基是以製造及技術為思考模式的品牌，宏碁則純粹以品牌行銷為思考。

　　因為投資在研發及製造的資源很大，明基不得不考慮現在的監視器、手機，以及未來友達面板產品的出路，這些產

品的出路，重要性遠超過它的品牌。宏碁可以沒有負擔的走向輕資產，明基就沒有這個條件。

可以說，明基的品牌模式是傳統模式，日本、韓國、歐洲公司都是這種模式；宏碁的模式則是美國模式，是像耐吉、戴爾的模式。

有了這樣的基本不同，宏碁的品牌定位可以比較專注，因為它是以品牌為思考；明基是以產業發展為主的思考，產業走到哪兒，它的品牌會有不同的走向。

明基要擴大，必須用自己的資源擴大；宏碁則可以借重別人的資源來壯大自己，所以它可以好好挑，挑出未來一個大的機會，好好經營品牌。明基則較被動，端視它所屬產業要進入哪一塊才能做。

比如說，明基一直不承認做筆記型電腦，認為自己是做digital hub（資娛中樞），如果它的策略真的是這樣，這是正確的做法；如果它做的是筆記型電腦，就會面臨較大的挑戰。從表面上看，明基好像進入了資訊業，實際上它的焦點應該放在數位商品，做數位產品需要一個hub來控制。

我認為，宏碁、明基要好好想清策略，雙方做起來才會有效。也就是說，如果宏碁把自己定位成消費性電子產品公司，有效性會打折；明基把自己定位成IT（電腦資訊）公司，也會有瓶頸。

　　至於明基要不要將品牌與代工業務分開，我認為還言之過早，現階段沒有什麼好考慮的，至於以後，再視客觀環境做決定。

　　套用品牌公式來看，明基的定位沒有問題，它需要的是品牌知名度，讓它的產品可以多賣一點；有了知名度，可以回過頭再提高它的定位。所幸，明基做的不是電腦，不需要太多售後服務。

　　電腦產品的定位，最大問題是產品差異都不大、商業模式無效，因此產品定位幾乎都是負的，很多公司都混不下去，連大公司都束手無策。明基的品牌知名度要慢慢累積，才可以拉高品牌價值；宏碁則不求品牌知名度，必須把定位變成能賺錢，東西賣多了，知名度自然就會提高。

　　在我的定義中，宏碁、明基是在同一個產業、但採取不同的策略。每個產業本來就有不同的區隔市場，宏碁的市場以主機為主，明基的市場以周邊為主；宏碁是以電腦資訊為定位，明基則要轉型到消費性電子產業型態。

■ 明基的挑戰

　　明基最大的挑戰，不是和資訊公司打仗，而是和日本及韓國的消費性電子產品公司，甚至是蘋果電腦打硬仗。消費

性電子產業會走向數位化，會轉變成偏向資訊的生態，像蘋果電腦現在做得很好，它的消費性電子產品很強，脫穎而出的機會很高，會成為另一個有強勢支配力的品牌。

這也是明基的機會，消費性電子產業如果沒有數位化的大趨勢，那麼明基完全沒有機會，索尼、三星在舊技術早就遙遙領先，明基目前只能在這個變局裡掌握一些機會。

明基可以做快速的跟進者，不能做先導者，因為先導者費用高、市場也不一定存在，風險很大；但是做先導者，對知名度較有利，例如索尼。別忘了，三星也是追隨者，它在電視、記憶體、手機都不是先導者，但都後來居上，可以做到世界最領先。

蘋果電腦的iPod風行全球，它很聰明的採用耐吉模式，把產品都外包了，有機會一路領先；但是，如果是軟體及服務比重較小的消費性電子產品，如電視機，它就相形見絀。蘋果電腦做電視機會有困難，因為電視機裡的面板是很關鍵的零件，這種產品不是掌握在它自己手上。

為台灣在國際共創舞台

為自己找到階段性務實的定位，對品牌公司非常重要。明基現階段最大的挑戰是日韓競爭對手都很強，但是在成熟

產品上，明基的製造優勢超過他們。

明基成功打出品牌，對台灣產業有幾方面意義。首先是重新塑造品牌的經驗，台灣又多了一個世界性的品牌，對國家形象很有幫助。

我想，如果只有宏碁單兵在國際上打拚，不足以讓台灣品牌形成氣候，Acer 與 BenQ 看似水火難容的競爭，其實是為台灣在國際一起共創舞台。

明基經驗還有另一個啟示，台灣到底該走宏碁模式，還是明基模式？我認為成功的模式愈多，對台灣愈有幫助。這不只是路多了，也表示大家不必擠在一塊，這樣產生的經濟效益較高。

不論是宏碁模式還是明基模式，不同產業可以各取所需來應用。因為有我做主導，雖然兩邊難免會做重疊的產品，但是在定位、策略上不會有衝突。不論明基、宏碁或華碩，發展模式都不太一樣，使得台灣有多樣化的模組，都有值得學習之處。

▌台灣品牌怎麼走？

我觀察，對台灣最理想的模式必須有三、五種，不能只有一種，如果只有一種，大家會一窩蜂擠在一塊惡性競爭，

模式太多則會影響經營績效。

在台灣，宏碁、明基兩種模式應該並存，不能獨尊哪一種模式，主要原因是產業不同、產品線結構不同、發展階段不同，生態與外界動態都不一樣。

一個產業要生存，不能只靠一招，一定要有很多招式，並且招招都要見效。

現在談品牌，我覺得有三種模式可以做。

一、從大公司分割出來。可能用關係企業或完全獨立新品牌。

二、代工與自有品牌共存。明基、巨大都是如此，在成熟產業、品牌定位較有差異化時，兩種業務可以相安無事，電腦產業因為產品差異不大，兩種業務很難共存。

三、某個產業或某種產品的設計製造代工公司，共同支持一家專業行銷公司來打品牌。就是以前我做的專業性大貿

品牌新思維

現在談品牌，我覺得有三種模式可以做：一、從大公司分割出來，可能用關係企業或是完全獨立新品牌；二、代工與自有品牌共存；三、某個產業或某種產品的設計製造代工公司，共同支持一家專業行銷公司來打品牌。

易公司，這種模式現在還沒有發生。比如說三家運動器材公司合組一家專業公司，大家共同支援打這一類產品的品牌，原來的公司可以繼續做設計製造代工，並不會受到影響。

　　比方說台灣的休閒服飾產業，我們可以設計、製造，也可以開發新材料，有機會透過專業行銷公司打品牌。再如運動器材、皮件、農業等產業，都可以重新創新，從品牌、生意模式開始進行，這種方式風險並不高，因為是輕資產。

　　當然，這需要有經驗的人挪出時間，在未來三、五年投入品牌行列。

　　電腦業不可能做這種事情，因為太大了。資訊業的小品牌，則必須打利基市場，而不是主流市場，還有機會出現新的品牌。

　　IC業倒是有機會打品牌，好幾家晶片設計公司可以控股公司聯手共同打一個品牌，只不過在打品牌的時候，必須從長計議，慢慢累積起來，最主要是要建立通路、管理通路，還要讓這些供應商在不影響本身設計加工業務的前提下，願意提供最創新的產品。

　　這對產品尚未成熟的設計製造代工廠商來說當然不容易，它的客戶怎能容許它提供創新產品給別的品牌商？但是新品牌商沒有創新產品又很難做。至於產品已臻成熟的設計製造代工廠商，例如服飾業，這方面的問題就不大，因為大

家的創新不會有衝突。

　　不少分析師、學者似乎都看衰台灣的科技產業，老實說，科技業不是沒有機會，關鍵在於借重台灣的設計能力、製造能力以及全球運籌的能力，來不斷提高附加價值，而不只是一再擴大規模。

▌未來科技公司的模式

　　未來科技公司可能出現的模式，反而是做專注於微笑曲線最高兩端的品牌公司，等於是早期不做生產的宏碁，只行銷「小教授一號」但不做生產。最好是第一天開始就有創新產品，找人代工，自己做行銷。

　　其實，甚至連技術都不一定要靠自己，宏碁的「小教授」是別人代工生產，連軟體都是用十萬元跟別人買的，宏碁的個人電腦也是委請工研院設計。

　　更極端的方式，是這家行銷公司甚至都不需要獨家擁有所有的技術，只要掌握關鍵的一小部分，尤其是吸引市場的創新設計，因為擁有太多獨有技術的成本較高，可以委外借重現成的資源，然後包裝成自己的東西。

　　這些都是可行的生意模式，在這方面的創新，可以為台灣科技產業未來的困境解套。

客戶好，你會更好

　　品牌經營，其實是為利益相關者創造價值，自己也能從中獲得價值的過程。

　　所以，企業經營品牌，不能只顧著讓自己賺錢，還必須要對消費者、對社會有幫助；只要我們對客戶有所貢獻，自然會出現回饋。

享受共創價值的過程

　　要創造價值，必須從六面向思考，也就是我所提的「六面向價值總帳論」，從有形／無形、直接／間接、現在／未來六個面向，思考創造的總價值。

　　然而，要如何創造品牌價值？

　　我有一套簡單的公式：品牌價值＝定位×知名度。定

位，是指對目標客戶創造價值的利差，也就是「價值－成本」的結果；知名度，則是大眾對品牌的認知比率。

即使擁有高知名度，若是定位不夠高，創造的利差太低，兩者相乘的結果，品牌價值就會變成有限。所以，必須先要有正確的定位，之後再大量複製，品牌才有價值。

更重要的是，在經營品牌的過程中，所創造的利差，必須要讓所有利益相關者都「有利可圖」，配合良好的利益分配機制，才能永續。這也就是王道的核心信念──創造價值、利益平衡及永續經營。

不砸錢也能做品牌

品牌定位，是企業經營品牌的重點；知名度可以透過日積月累，品牌策略卻是除了長期累積之外，還必須始終保持一致的定位。

但是，這件事並非必須砸下重金才能做到。

做品牌不用花大錢，而是得動腦筋；何況，花錢打廣告雖是一種選擇，可以讓消費者知道公司有哪些產品或服務，但成本勢必也提高，而因此所創造出的價值，是否就能讓消費者買單？

如果因為花錢打品牌，造成公司不賺錢，也就意謂消費者不買單，生態無法平衡，品牌無法永續，當然也是不王道。

不過，對台灣科技產業來說，若要從代工轉型到自有品牌，還必須面對不同文化與思維的轉換；前者的本質是企業對企業（B to B），後者則是企業對消費者（B to C），經營模式截然不同。

台灣廠商若要同時做代工和自有品牌，主要會出現兩大衝突：自有品牌與客戶品牌定位的衝突，以及內部管理的衝突，而管理衝突又往往大於品牌衝突。至於其他無形的文化衝突，更是蕪雜難解。

來者要有拒

買賣是一種互通有無的商業行為，若要經營品牌，還要透過行銷溝通產品或企業形象。

可是，即使是貿易往來，也不是有訂單就要賣；宏碁應該是台灣第一家「來者有拒」的外銷公司，我們會挑選「門當戶對」的經銷商，對方必須擁有技術能力、可以提供售後服務，願意長期為宏碁打品牌，這也是品牌管理的重要概念。

這個觀念，在宏碁成立的第一天就已經有雛型；我們設

置一筆行銷發展基金，補貼經銷商做廣告，並且要求這些廣告必須符合宏碁的基本要求。

　　所以，宏碁並不是拒絕花錢做廣告，但是必須考量，投入的資源與創造的價值，是否能讓眾多利益相關者滿意，達到利益平衡。

規模不是絕對

　　打品牌，首先是產品創新，其次是必須有一定的規模，才能吸引強勢通路願意配合，也才有資源培養貫穿整條價值鏈的人才。

　　不過，所謂的規模，其實是相對的；以巨大機械為例，目前的實收資本額是新台幣三七‧五億元，放在全世界的舞台上，並不算是大型跨國企業。

　　但當年巨大以碳纖越野車的創新，成功打入歐美主流市場，而它的競爭者雖然擁有品牌，產品卻沒有競爭力，因此它可以從一開始就把品牌定位設得很高。

　　產品優勢加上價格競爭力與行銷能力，即使本身規模不大，在它所屬的市場區隔裡卻是很大的，因此造就了巨大的成功。

　　宏碁的「小教授」，則是另一個例子，在教育利基市場推出的產品，價格更低、功能更好，加上良好的品牌創新形象，長期維持一成以上的淨利率，即使後來宏碁在PC領域，都沒有那麼穩定、良好的獲利率。顯然，規模不是打品牌的唯一條件。

換上全球化的腦袋

　　有人認為，小公司就沒有資格打品牌，這是不對的。

　　全世界的品牌公司，沒有一家不是從「小」做起，Google是，宏碁也是。當然，剛開始的時候，資源不多，所以更要讓經營更有效率。

　　甚至反過來說，正因為打品牌，才可以自己界定舞台；即使小公司擁有的資源不如大企業，也可以把有限的資源集中在特定的市場區隔，小規模時就界定小舞台，可能是新產品的初期市場，也可能是成熟產品的利基市場。

　　相較之下，後者比較穩定，因為大公司可能忽略或看不上這塊肉，而前者則較不穩定並且會持續成長，吸引新的競爭者，開始進入主流戰場。

　　這也就是說，即使從利基市場切入，也迴避不掉主流戰

場，而打主流戰跟利基戰的做法完全不一樣，如果在市場轉換的時候沒有掌握關鍵能力，就會出現危機。

所以，經營品牌沒有公司大、小之分，重點在於是否能夠找到對的市場，建立能夠獲利商業模式。

蓄小力，成大用

當然，領導人想要讓企業走向全球化，必須有全球化的能力及資源；即使小公司一開始可能辦不到，仍舊可以在發展過程中慢慢建構；如果有全球化的思維，就能為日後的發展預做準備，也可以創造更大的價值。

在找到可獲利的經營模式，再逐步擴大規模，以時間換取空間，發展品牌知名度，還是可以有機會成功。

所謂的全球化，不只是從地理的角度看，而是視野的全面性。但，並不是大公司才應該有全球化的思維，而是所有創業的人都應該具備全球化的思維。因為既然已經找到了對的路，就不要只局限於追求小確幸，為了能創造最大的價值，一開始就應該要有全球化的思維，以為日後的擴張鋪路。

財經企管 561

王道創值兵法──一以貫之‧以終為始‧吐故納新‧價暢其流

六面向論輸贏（修訂版）
定位正確，品牌才有價值
The Power of Invisible Value

原書名 ── 全球品牌大戰略：品牌先生施振榮觀點
作者 ── 施振榮
採訪整理 ── 蕭富元
主編 ── 李桂芬
責任編輯 ── 羅玳珊、李美貞（特約）
封面與內頁設計 ── 周家瑤

出版者 ── 遠見天下文化出版股份有限公司
創辦人 ── 高希均、王力行
遠見‧天下文化‧事業群董事長 ── 高希均
事業群發行人／CEO ── 王力行
出版事業部副社長‧總經理 ── 林天來
版權部協理 ── 張紫蘭
法律顧問 ── 理律法律事務所陳長文律師
著作權顧問 ── 魏啟翔律師
社址 ── 台北市 104 松江路 93 巷 1 號 2 樓
讀者服務專線 ──（02）2662-0012
傳真 ──（02）2662-0007；2662-0009
電子信箱 ── cwpc@cwgv.com.tw
直接郵撥帳號 ── 1326703-6 號　遠見天下文化出版股份有限公司

電腦排版／製版廠 ── 立全電腦印前排版有限公司
印刷廠 ── 祥峰印刷事業有限公司
裝訂廠 ── 明和裝訂有限公司
登記證 ── 局版台業字第 2517 號
總經銷 ── 大和書報圖書股份有限公司　電話／（02）8990-2588
出版日期 ──2005 年 5 月第一版
　　　　　2015 年 8 月 31 日第二版第 1 次印行

定價 ── 320 元
ISBN：978-986-320-768-9
書號 ── BCB561
天下文化書坊 ── www.bookzone.com.tw

國家圖書館出版品預行編目(CIP)資料

六面向論輸贏：定位正確,品牌才有價值 / 施振榮
著#; 蕭富元採訪整理. -- 第一版. -- 臺北市 : 遠見天
下文化, 2015.08
　　面；　公分. -- (財經企管 ; 561)(王道創值兵法)
ISBN 978-986-320-768-9(平裝)

1.宏碁集團 2.企業管理 3.品牌行銷

494　　　　　　　　　　　　　　104010722

Believing in Reading

相信閱讀